# L'insoutenable absence

DISTRIBUTEURS EXCLUSIFS:

- Pour le Canada et les États-Unis:
  **LES MESSAGERIES ADP***
  955, rue Amherst, Montréal  H2L 3K4
  Tél.: (514) 523-1182
  Télécopieur: (514) 939-0406
  * Filiale de Sogides ltée

- Pour la Belgique et le Luxembourg:
  **PRESSES DE BELGIQUE S.A.**
  Boulevard de l'Europe 117
  B-1301 Wavre
  Tél.:　(10) 41-59-66
  　　　(10) 41-78-50
  Télécopieur: (10) 41-20-24

- Pour la Suisse:
  **TRANSAT S.A.**
  Route des Jeunes, 4 Ter
  C.P. 125
  1211 Genève 26
  Tél.: (41-22) 342-77-40
  Télécopieur: (41-22) 343-46-46

- Pour la France et les autres pays:
  **INTER FORUM**
  Immeuble Paryseine, 3 Allée de la Seine, 94854 Ivry Cedex
  Tél.: (1) 49-59-11-89/91
  Télécopieur: (1) 49-59-11-96
  **Commandes:**  Tél.: (16) 38-32-71-00
  　　　　　　　　Télécopieur: (16) 38-32-71-28

Regina Sara Ryan

# L'insoutenable absence

## Comment peut-on survivre à la mort de son enfant!

*Traduit de l'américain
par Marie Perron*

LES ÉDITIONS DE
L'HOMME

**Données de catalogage avant publication (Canada)**

Ryan, Regina Sara

L'insoutenable absence: comment peut-on survivre à
la mort de son enfant

Traduction de: No child in my life.
Comprend des références bibliographiques

1. Chagrin — Aspect religieux — Christianisme.
2. Consolation.  I. Titre.

BV4907.R9214    1995     155.9'37     C95-940410-4

© 1995, Les Éditions de l'Homme,
une division du groupe Sogides,
pour la traduction française

L'ouvrage original américain a été publié par Stillpoint Publishing,
sous le titre *No Child in My Life*

Dépôt légal: 2ᵉ trimestre 1995
Bibliothèque nationale du Québec

ISBN 2-7619-1262-4

«Les hommes et les femmes qui ont perdu un enfant trouveront, dans *L'insoutenable absence,* un grand réconfort et l'assurance qu'ils ne sont pas seuls.»

D^r ELISABETH KUBLER-ROSS
*Les derniers instants de la vie*

*Je dédie cet ouvrage à mon amie Susan qui m'a demandé de l'écrire. Elle en est tout autant que moi responsable. Les pertes qu'elle a subies l'ont incitée à partager avec d'autres femmes en deuil d'un enfant ou de leur relation avec un enfant le pouvoir transformateur de la souffrance. J'ai eu le privilège de la seconder à chaque étape de ce processus et de boire chaque jour à la fontaine de sagesse et de compassion qui l'abreuve.*

*Nos pensées vont à Lee, par qui naît l'innocence.*

# Avant-propos

Je n'ai jamais eu d'enfant. Il y a vingt ans, huit mois après mon mariage, la nécessité d'une intervention chirurgicale a mis fin à cette possibilité.

À l'époque, je n'avais pas pris la chose trop mal. J'étais heureuse d'être encore en vie et qu'il me faille pour cela renoncer à avoir des enfants ne me paraissait pas être un prix trop élevé à payer. Mon mari me consolait avec sagesse:

— Nous ne voulions pas vraiment avoir des enfants de toute façon, n'est-ce pas?

Nous n'avons jamais pleuré cette perte.

Avec le temps, je suis devenue une sorte de spécialiste du deuil et de la perte. J'ai fait du bénévolat dans des foyers pour personnes âgées, je suis venue en aide aux familles de mourants, j'ai enseigné au collège et dans les facultés d'éducation permanente, j'ai même écrit un livre sur le deuil associé à la maladie ou aux blessures corporelles. Dans mes cours, intitulés «Vivre son deuil», j'ai écouté les confidences de centaines de femmes et d'hommes affligés. J'ai pleuré avec eux la perte d'un conjoint ou d'un ami, d'un enfant, d'un parent et même d'un animal favori. Je suis entrée en contact avec ma propre affliction quand ils m'ont décrit le deuil de leurs rêves, la perte de leur identité due à une dépression ou à une maladie grave, leur peur de vieillir.

Pendant ce temps, je tenais à distance ma propre histoire, mon propre deuil d'un enfant. Bien sûr, j'en parlais. J'ai souvent relaté plusieurs fois mon histoire en toute sincérité. Mais elle résonnait sèchement à mes oreilles, elle me paraissait sans vie. C'était une expérience intellectuelle, bien enveloppée et bien ficelée. Elle donnait de la

*crédibilité à mon savoir-faire, sans plus. Un des meilleurs moyens de nier quelque chose consiste à s'en faire une spécialité.*

*J'avais toujours incité mes étudiants à voir dans toute perte la voie vers une meilleure compréhension de soi, le seuil de la compassion, la clef d'une spiritualité sincère. J'avais moi-même mis ce principe en pratique dans tous mes autres deuils. Mais en ce qui concernait l'événement majeur de ma vie, cette maladie qui m'avait rendue stérile, j'étais incapable d'en recueillir les fruits, car je ne pouvais pas encore admettre la douleur que je ressentais ni y faire face. Comment pouvais-je honnêtement témoigner du pouvoir transformateur du deuil chez les autres?*

*Je devais donner naissance à quelque chose en moi, à quelque chose de profondément féminin, et pour y parvenir, j'avais besoin du secours d'une sage-femme.*

*Avec un à-propos typiquement féminin, Susan, mon amie de longue date, me fit part du bouleversement que ses deux fausses couches avaient provoqué en elle et des leçons qu'elle avait su tirer de sa souffrance.*

*— Ce n'est pas facile de rester impassible quand des enfants entrent en jeu, me confia-t-elle. Je crois que cela a à voir avec leur aura d'innocence. Quand nous perdons un enfant – qu'il s'agisse d'un accident ou d'une décision consciente, qu'il s'agisse d'une perte physique ou de la fin d'une relation –, nous ressentons plus que le vide, la culpabilité ou la peur; nous ressentons aussi une perte moins tangible. Je crois que nous faisons le deuil de notre innocence.*

*Les propos de Susan ont touché quelque chose de profondément enfoui en moi et m'ont émue aux larmes. J'ai ressenti une grande solitude et une grande tristesse. Mon corps «a su» ce que signifiait donner naissance à un enfant, même si je n'avais jamais été mère, mon corps «a connu» le bonheur de tenir un bébé dans ses bras, et j'étais sidérée que cela vienne de moi seule.*

*Susan a stimulé mon sens du risque: elle m'a poussée à débarrasser mon deuil de tout le tissu cicatriciel qui l'entourait, à regarder en face, encore une fois, ma propre histoire. Ce processus de découverte continue d'être, à ce jour, l'un des cadeaux les plus enrichissants que la vie m'ait offert. Ma vision du monde s'en trouve transformée; le chagrin qui nous affecte tous d'une manière ou d'une autre ne*

*m'échappe plus. Mes yeux s'ouvrent également au courage, à la persé-*
*vérance et à la force dont font preuve mes semblables au beau milieu*
*de la tempête.*

*Cette conscience accrue vient de ce que je me suis donné la permis-*
*sion de pleurer plus intensément ma perte. Moins je nie, plus j'ai accès*
*à tout l'éventail des émotions humaines sur lesquelles ériger le fonde-*
*ment de mon évolution spirituelle.*

*Je ne dispense plus mon enseignement de la même façon: j'observe*
*moins, je participe davantage à la vie des autres et je leur permets à*
*leur tour de participer davantage à ma propre vie. Ma réflexion,*
*inspirée par la vision personnelle de Susan, m'a conduite à écrire le*
*présent ouvrage.*

*Je voudrais exprimer ma gratitude aux nombreuses personnes qui*
*m'ont secondée dans ce projet. Je remercie les centaines d'étudiants*
*qui, ces quinze dernières années, ont participé à mes séminaires,*
*m'ont relaté leur expérience, m'ont fait prendre connaissance de leurs*
*journaux intimes, de leurs dessins, de leurs poèmes. J'ai appris d'eux*
*ce qui peut venir en aide et ce qui n'est d'aucun secours à une per-*
*sonne en deuil. Je remercie plus particulièrement les personnes qui ont*
*accepté d'être interviewées pour les besoins de cet ouvrage. Leur fran-*
*chise m'a parfois déroutée, mais leur chagrin et leur courage m'ont*
*beaucoup aidée à désembrouiller ma propre histoire. Merci aussi à mes*
*amis et aux membres de ma famille pour le soutien, la générosité et*
*l'affection qu'ils m'ont manifestés au cours de l'année que j'ai consa-*
*crée à l'écriture de cet ouvrage, et qu'ils ne cessent de me prodiguer*
*depuis toujours. Je remercie enfin* Liars, gods and beggars, *le groupe*
*rock dont la musique me stimule. Enfin, merci à Jere, mon ami et*
*mon mari, qui partage toutes mes expériences.*

# Introduction

Cet ouvrage parle de nous tous, de la façon dont nous traversons notre deuil en chancelant pour finir par guérir sans trop savoir comment nous y sommes parvenus. Il est destiné à ceux et celles d'entre nous qui avons perdu un enfant ou une relation avec un enfant. Il se fonde sur le fait que cette perte est sans doute la plus tragique et la plus douloureuse expérience que puisse vivre un être humain. Comme un tremblement de terre dévastateur, la perte d'un enfant semble violer les lois de la nature et ébranler nos certitudes quant à un univers prévisible et inoffensif. Il nous faut donc du temps et de la patience pour traverser ce deuil, nous avons besoin de réconfort, de courage et de persistance pour endurer nos souffrances et reconstruire une partie de notre vie.

Qu'il s'agisse d'un choix conscient ou que nous ayons «perdu» un enfant par accident, que cette perte soit la conséquence d'une adoption, d'un avortement, d'un règlement de divorce, d'un décès, d'une fausse couche, de la stérilité ou de la décision de ne pas mettre d'enfants au monde, nous sommes appelés, dans chacune de ces circonstances, à nous regarder en face et à réexaminer notre système de valeurs. Nous en ferons le deuil, que cela soit visible ou non, car le deuil est une réaction normale à toute perte. (Même les animaux connaissent le deuil.) Notre aptitude à faire face à ce deuil et le sens que nous donnerons à notre perte transformeront toute notre vie, pour le meilleur ou pour le pire.

Il peut être extrêmement bénéfique pour nous et pour ceux qui nous écoutent de relater notre histoire, de parler de nos décisions et des pertes que nous avons subies, même si ces événements remontent à plusieurs dizaines d'années. Le récit agit comme un

remède. Il nous permet d'ordonner le chaos, d'exprimer nos peurs secrètes, d'avouer notre remords, d'extérioriser notre ressentiment. Les récits des autres nous rappellent que le deuil fait partie de toute évolution humaine et spirituelle, que nous pouvons transformer notre rapport funeste à la souffrance, à la tristesse et au non-sens en un rapport qui nous ouvre à une vie plus enrichissante. Le fait de savoir que d'autres ont parcouru avant nous ces sentiers douloureux et parfois dangereux nous permet de puiser un réconfort dans cette sagesse commune et d'y trouver le courage de traverser les moments, les heures et les jours les plus difficiles.

*   *   *

*L'insoutenable absence* est un recueil d'histoires, des histoires vécues par des hommes et des femmes comme vous qui ont perdu un enfant. C'est un livre tout en détours et en lacets, car le chemin de la guérison est tortueux. La plupart des gens avancent à l'aveuglette et cherchent le prochain poteau indicateur, ils ont l'impression de tourner en rond, de chercher en vain la lumière du soleil. Personne n'est «dans le droit chemin», même les plus courageux et les plus intelligents. C'est difficile de vivre un deuil. C'est très difficile.

Il est possible d'éviter certains détours, certains écueils. Grâce à quelques conseils et à quelques indications, vous économiserez du temps et de l'énergie. Je ferai de mon mieux pour vous signaler les traquenards tendus sur votre route.

Cet ouvrage veut vous inciter à vous remémorer votre propre deuil, à l'exprimer ensuite par écrit ou verbalement ou à le redéfinir autrement, avec davantage de recul. La perte d'un enfant offre un contact privilégié avec ce principe féminin présent en tout individu – homme ou femme –, ce principe qui nous pousse à donner la vie, à la protéger sous toutes ses formes, à la guérir de notre mieux. Plus nous comprenons ce principe, plus nous lui permettons de se répandre dans notre vie et de la colorer. Nous voyons notre détresse sous un angle différent, nous parvenons à en extraire le suc même de la vie. Ce «suc» est notre remède personnel. Il est une promesse d'espoir.

Satomi Myodo, un mystique japonais, savait que le cœur peut guérir même au pire de sa souffrance. C'est en renonçant au concept voulant que nous soyons séparés du cosmos que nous parviendrons à y trouver notre place légitime.

Connaître la Voie, c'est connaître la vie et se connaître soi-même en tant que partie intégrante du cosmos. Cela signifie que nous pouvons découvrir la place qui nous est dévolue dans l'existence, notre appartenance, non pas de façon égoïste, mais en tenant compte des interrelations innombrables qui nous relient, dans le cosmos, aux autres êtres animés et inanimés. En se libérant de son égocentrisme, celui qui connaît la Voie comprend les choses telles qu'elles sont et non pas telles qu'il voudrait qu'elles soient. Ainsi, nul ne lutte plus en vain contre les vicissitudes inévitables de l'existence, mais il accepte ce que la vie lui offre dans le calme et la sérénité de son cœur. Donc, connaître la Voie, c'est... vivre dans la vérité, dans la sincérité et dans l'harmonie.

# 1

# Il n'y a pas d'enfant dans ma vie

*Une voix retentit dans Rama, une voix plaintive, d'amers sanglots. C'est Rachel qui pleure ses enfants, qui ne veut pas se laisser consoler de ses fils perdus.*

JÉRÉMIE, 31:15

Les statistiques sont renversantes. En 1993, aux États-Unis, des centaines de milliers de femmes feront une fausse couche, parfois dans les trois derniers mois de leur grossesse, et 10 femmes sur 1000 verront leur bébé mourir avant la fin de sa première année de vie. On comptera 1 175 000 divorces avec attribution du droit de garde de 1 045 750 enfants. Quatre cent quatre-vingt-trois parents sur 100 000 perdront un enfant de plus de un an pour cause de maladie, d'accident ou de négligence. Plus de 1 500 000 femmes (et hommes) opteront pour l'avortement et un couple sur six apprendra qu'il est stérile.

Il faut ajouter à ces chiffres les millions de personnes qui se résigneront à ne jamais élever un enfant ou le mettre au monde parce qu'elles n'auront pas trouvé de partenaire satisfaisant ou parce qu'elles auront perdu la course contre leur horloge biologique. Les statistiques deviennent vite astronomiques; et ce

n'est qu'un début. On ne saurait compter toutes les personnes qui vivent le deuil affectif ou spirituel d'une relation «normale» avec leurs enfants. Songez à vos amis, aux membres de votre famille. Pouvez-vous en nommer trois qui n'ont jamais vécu une telle perte? Il y a là de quoi nous faire réfléchir.

La perte d'un enfant et la douleur qui l'accompagne sont des phénomènes universels. L'élément unificateur de toute l'humanité, celui qui nous arrache à tous des larmes, c'est notre sensibilité et notre révolte face aux souffrances que subissent les enfants. Même pour qui n'a jamais mis d'enfant au monde, la vue d'un enfant arraché à ses parents, si fréquente et si typique en temps de guerre, évoque une conscience primitive de l'abandon, nous pousse à nous révolter contre une telle injustice et réveille nos propres sentiments d'abandon et de trahison. Les parents sont censés aimer leurs enfants et veiller sur eux. Quand cela ne se produit pas ou ne peut se produire, nous en souffrons.

Tous ceux qui subissent la perte d'un enfant, que cette perte soit voulue ou qu'elle soit due à des circonstances qui échappent à leur volonté, affrontent un deuil, qu'ils en soient ou non conscients, qu'ils le vivent ou non ouvertement. Les êtres humains ne sont pas très différents de certaines espèces animales. Lorsque meurt un de leurs petits, de nombreux animaux le recherchent, deviennent tristes et abattus, pleurent, en somme, leur progéniture.

La souffrance et la perte sont inhérentes à toute vie humaine. Nous nous affligeons parce que le monde autour de nous se transforme malgré nous. Nous souffrons parce que nos êtres chers nous quittent. Nous nous désolons parce que nos enfants, pas plus que nous-mêmes, ne connaîtront la vie éternelle. C'est si facile de nous blesser ou de nous briser le cœur. Il suffit de lire les journaux pour se rendre compte que la race humaine est une grande confrérie d'estropiés.

Ces propos n'ont pas pour but de vous faire sombrer dans la dépression, mais bien de vous ouvrir les yeux à la réalité. Il est très dangereux de nier la mort, de refouler la douleur de vivre. Le fait d'accepter la réalité telle qu'elle est peut devenir une grande source de courage et semer le germe de la compassion. En pleurant notre perte nous devenons sensibles à la perte d'autrui. Cette sensibilité et cette indulgence nous permettront d'apaiser la douleur de toute l'humanité. N'est-ce pas là un moyen tangible de prendre conscience des liens qui unissent toutes les formes de vie?

## QUE REPRÉSENTE UN ENFANT DANS MA VIE?

Outre le fait qu'ils sont réels au point de défier toute description, les enfants symbolisent différentes choses pour différentes personnes. Ce symbolisme personnel influence nos choix quant à la présence ou à l'absence d'enfants dans notre vie. Ce même symbolisme déterminera aussi la façon dont nous pleurerons la perte d'un enfant.

Pour bon nombre d'entre nous, l'enfant représente la trace que nous laissons en ce monde; il est une façon de nous perpétuer jusqu'aux générations futures; il témoigne du fait que nous n'avons pas vécu en vain. Un autocollant de pare-chocs présente ce message: «Demandez-moi des nouvelles de mes petits-enfants». Nos enfants et nos petits-enfants sont là pour donner un sens et un but à nos dernières années de vie.

Le désir d'aimer et d'être aimé est sans doute celui que l'on associe le plus à la présence d'un enfant. Sur un plan terre à terre, nous pouvons désirer que quelque chose ou quelqu'un dépende de nous, ou que nos enfants soient notre bâton de vieillesse. Sur un plan supérieur, c'est un désir altruiste, un besoin de se sacrifier et de veiller sur autrui qui transcende la notion de ce qui «m'appartient» ou ce qui «m'est dû». Quand on a goûté, ne serait-ce qu'un instant, à l'amour sincère fait de cette confiance absolue visible dans le regard d'un enfant, il est normal qu'il nous manque et que nous fassions en sorte de le reconquérir. Donner naissance à un enfant, élever un enfant, semblent être les moyens les plus évidents d'y parvenir.

L'amour d'une enfant fut pour Dominique, femme d'affaires dans la trentaine, une expérience transformatrice. Bénévole dans une maison d'accueil pour enfants handicapés, elle s'est naturellement tournée vers l'enfant la plus négligée de la salle.

— Mon amitié avec Christine a duré moins d'un an, me dit-elle, mais l'effet de sa présence dans ma vie ne s'éteindra jamais.

Lorsque Christine est tombée gravement malade, Dominique est restée à son chevet.

— Je n'oublierai jamais l'amour qu'il y avait dans ses yeux. Je me souviens d'avoir pensé «l'amour divin, c'est sûrement cela». L'extase. On n'a besoin de rien d'autre. On ne pense à rien d'autre. On se regarde l'une l'autre, on s'adore en silence.

Avoir un enfant à soi peut être une étape importante de notre vie, un rite de passage. L'enfant que l'on porte ou dont on est le père est le témoin vivant de notre accession à l'état adulte. Devenir parent signifie non seulement que nous sommes en mesure de concevoir, que nous sommes fertiles, cela signifie surtout que nous avons créé un être et que cet être vit et grandit dans le sein d'une femme.

Le mot «mère» a une très grande signification symbolique. Dans son sens socioculturel sinon dans les faits, il signifie que la femme est devenue entière, qu'elle protège, guérit, aime et crée. Le «père» est un homme, un pourvoyeur et un protecteur, un amant et lui aussi un créateur. L'enfant ne fait aucune différence entre la mère, le père et Dieu. Ce sentiment de pouvoir, d'épanouissement et d'amour – fût-il fugace ou illusoire – alimente chez l'adulte son besoin d'un enfant dans sa vie.

Pour les femmes surtout, la naissance d'un enfant peut être une expérience libératrice. Susan, dont l'enfance incestueuse l'avait privée de toute estime d'elle-même, vit son amour-propre s'accroître en même temps que grandissait son enfant. Dans le cas de Julie, avoir un enfant signifiait joindre les rangs des personnes «normales», accomplir un acte socialement acceptable, gagner l'attention qu'elle avait toujours cherchée auprès de ses parents et de ses frères et sœurs.

Quant à moi, qui n'ai «pas d'enfant dans ma vie», je croise souvent des regards interrogateurs ou compatissants qui semblent dire: «Quelque chose cloche? Ou est-ce seulement de l'égoïsme?» Pour ceux d'entre nous qui n'ont pas d'enfant par choix ou par hasard, cette absence, si assumée soit-elle, symbolise parfois le gouffre qui nous sépare de certains aspects de la vie que même nos amis les plus chers tiennent parfois pour acquis. Le mot «famille» prend un tout autre sens pour nous, les réunions de frères, de sœurs, avec leurs escadrons d'enfants vigoureux, sont parfois plus douloureuses pour nous que nous ne sommes disposés à l'admettre.

Souvent, nous associons la perte d'un enfant à un échec.

— S'il y avait un aspect de ma vie qu'il importait pour moi de réussir, c'était mon rôle de mère. Maintenant, j'ai l'impression d'avoir réussi à échouer.

Ces propos me furent tenus par une femme dans la quarantaine qui avait choisi de confier ses enfants à leur père pour mieux assurer leur avenir. Tout ce qui concerne nos enfants nous touche profondément, et rejoint parfois le cœur même de notre être.

## L'INNOCENCE

*Raille une foi d'enfant*
*On te raillera dans ton Âge, dans ta Mort.*
*Apprends à l'enfant à douter*
*Tu n'échapperas pas à la putréfaction.*
*Mais respecte la foi de l'enfant*
*Et tu triompheras de l'Enfer et de la Mort.*

WILLIAM BLAKE

Les enfants resplendissent d'innocence; ils n'ont ni méfiance ni préjugés. Leur univers est sans frontières, sans distinction de races, de couleurs, de systèmes de valeurs. Cette candeur est l'une des forces les plus puissantes qui soient. Elle vient à bout des pires résistances; pour la plupart, nous succombons d'emblée au sourire d'un enfant. Le sourire que nous lui rendons alors fissure la carapace de rationalité et d'invulnérabilité qui d'habitude nous protège.

Les enfants symbolisent la vie, donc l'espoir. Comme nous aimerions être dotés de leur vivacité spontanée! Ils nous rappellent qui nous avons été. Tant qu'ils n'apprennent pas à s'adapter aux autres, les enfants n'obéissent à aucune loi. Devant leur spontanéité, leur fraîcheur, leur imprévisibilité, leur innocence et leur faculté d'émerveillement, les «grandes personnes» se remémorent leurs joies anciennes, leurs ambitions et leurs visions d'avenir, leurs rêves d'une vie sans contraintes. Retrouver cette innocence, dit-on, c'est trouver Dieu, ainsi que nous le rappellent William Blake et tant d'autres poètes. Nos enfants sont nos compagnons de vie et de jeu, souvent aussi nos maîtres, des sources intarissables d'inspiration et de secours.

Mais l'innocence n'a pas uniquement une valeur symbolique positive. Elle possède aussi un côté noir: l'absence de cette innocence ou sa perte.

— À quoi penses-tu?

Je m'adressais à une jeune amie vietnamienne, artiste de la scène, tandis que nous voyagions dans le métro de Paris il y a plusieurs années. J'avais remarqué qu'elle observait avec une douce intensité les enfants turbulents de l'autre côté de l'allée.

Silence. Atta, une réfugiée, était souvent d'humeur chagrine, trait de caractère dont elle savait tirer profit dans ses spectacles. Je la laissai à ses pensées et regardai par la fenêtre, bercée par le balancement du train et les éclats de couleur des panneaux publicitaires sur les murs des stations.

Au repas, elle rompit son silence.

— Une fois de plus, la candeur de ces enfants m'a bouleversée, fit-elle sur un ton qui trahissait le sérieux de sa pensée. J'observe beaucoup les enfants. Je me demande ce qu'ils possèdent encore que j'ai perdu. Je voudrais le savoir de façon précise. Et combien de temps conserveront-ils cette innocence? Comment la perdront-ils? Pourquoi ne puis-je la retrouver?

Cette conversation n'avait rien d'anodin pour Atta; son enquête sur la nature de l'innocence était carrément une question de vie et de mort. En tant qu'artiste, elle sentait que, face à son public, elle avait le devoir de comprendre ce rare bienfait qu'est la candeur, de le raviver, de le mettre en question. Quand elle me fit le récit de sa vie et me dit avoir été séparée de sa famille, de sa culture, de sa patrie, je compris que cette préoccupation ne l'avait jamais quittée. Elle avait littéralement tout perdu, sauf elle-même. Et c'est en elle-même qu'elle trouvait la matière brute de son art.

Depuis ce jour, des années ont passé; je comprends mieux maintenant, comme Atta, qu'un éclair d'innocence est un tremplin sacré. Nous le captons, puis nous partons, tels des sourciers munis de leur baguette, à la recherche de la vérité qui serpente sous nos activités quotidiennes et qui sourd parfois, bouillonnante, à la surface quand nous ne nous méfions pas ou quand nos sens sont affûtés, comme cela se produit au cœur de la souffrance.

La perte d'un enfant nous ramène inévitablement à notre innocence perdue. Mais c'est par là que nous accédons au mystère de la vie.

## Il n'y a pas de place pour l'innocence dans notre société

Au commencement, nous étions tous innocents, et nous avons tous plus ou moins perdu notre candeur. Même ceux d'entre nous qui ont été éduqués par des adultes hypersensibles n'ont pas été épargnés par la vie. Nos jouets se sont brisés, nos animaux favoris nous ont quittés. Nos parents n'ont pas tenu leurs promesses envers nous. Nous avons subi sans la comprendre la cruauté des autres enfants.

Quand de telles choses se produisent (parfois dans la plus tendre enfance, parfois plus tard), elles enclenchent la lente érosion de notre innocence. C'est ainsi. Nous ne parviendrons pas à la sagesse sans d'abord connaître les aspects sombres de la vie. L'érosion naturelle de notre candeur d'enfant doit avoir lieu pour que nous soyons initiés à la vie adulte.

Malheureusement, le plus souvent cette érosion n'est pas un lent processus naturel, mais la conséquence d'un arrachement, d'un écrasement, d'une manipulation, d'une séduction des parents ou d'une société que menace le souvenir de sa propre innocence perdue. Des parents pourtant bien intentionnés humilient inconsciemment leurs enfants ou leur confient de trop lourdes responsabilités dès leur plus jeune âge, leur dérobant ainsi leur enfance. Nous en sommes témoins tous les jours de mille et une façons.

Nous vivons dans une société qui déprécie la candeur et tout ce qui s'ensuit. Nous avons beau clamer qu'il est nécessaire de préserver l'innocence de nos enfants, les médias, surtout la télévision, de concert avec les industries qui habillent, nourrissent et amusent notre progéniture, démontrent le contraire. Cette notion est si répandue que nous n'y sommes plus sensibles; souvent, nous n'en prenons conscience que devant un enfant qu'elle n'a pas encore contaminé. L'ennui est que cette «pureté» est vite ridiculisée. Nos écoles accordent une telle importance au savoir-faire intellectuel et même à la sophistication, que, par comparaison avec leurs camarades, les enfants candides donnent l'impression d'être stupides.

Mais nos écoles ne sont pas à blâmer. Elles reflètent le pouls d'une société dans laquelle la candeur et l'esprit ludique, surtout chez les adultes, sont confondus avec la naïveté, la faiblesse et la stupidité. J'ai moi-même souvent refoulé ma spontanéité et ma candeur par crainte du ridicule. Je n'ai de cesse de me trahir par peur de l'opinion d'autrui.

L'importance que notre société accorde aux apparences, à l'aspect extérieur, compte plus que l'évolution de l'âme. Quand nous sommes mis en présence d'une personne dont l'intelligence ou l'aspect ne correspondent pas aux normes, mais qui possède des qualités de générosité ou de candeur, comme c'est le cas des enfants, des adultes mentalement handicapés ou des membres de peuplades primitives, nous en sommes profondément émus, parfois même bouleversés.

### RÉAPPRENEZ À PLEURER

*«... quiconque n'accueille pas le Royaume de Dieu*
*en petit enfant n'y entrera pas.»*

Luc, 18:17

Une semaine après la fête de l'Halloween, j'observais mon amie Marianne, une jeune mère de famille, expliquer une fois de plus à Caroline, sa fillette de un an, comment les citrouilles vivent et meurent.

— Quand les citrouilles sont mûres, les gens les cueillent pour les manger ou pour en faire des lanternes, et ensuite elles commencent à pourrir. Elles retournent à la terre...

Marianne me confia que cette histoire de citrouille avait été pour Caroline un événement d'une extrême importance. L'enfant ne savait pas encore s'exprimer avec des mots. Mais par des sons et des mimiques dont je compris sur-le-champ qu'ils exprimaient la tristesse, elle nous fit clairement savoir qu'elle s'inquiétait du sort de cette citrouille posée sur le rebord de la fenêtre et qui l'avait réjouie trois semaines durant chaque fois que sa mère l'avait allumée.

Sept jours plus tard, l'enfant la réclamait toujours.

— Pas autant qu'au début, dit Marianne. Un peu moins chaque jour.

Et une fois de plus, tandis que je l'observais en silence, Caroline réclama sa citrouille en grognant; comme si c'était la première fois, Marianne lui expliqua ce qu'il en était du cycle de la vie et de la mort, elle lui raconta de nouveau comment on avait déposé la citrouille sur le tas de compost, elle lui répéta que «tout sert de nourriture pour quelque chose d'autre». Caroline se tut et hocha la tête. Elle avait parfaitement compris.

Ce soir-là, tandis que je relatais cette anecdote à une autre amie, je sentis ma poitrine se comprimer et j'eus de la difficulté à respirer. Certes, il s'agissait d'une tendre et vivifiante histoire, mais ma réaction ne se limitait pas à cela. Je souffrais. Puis tout s'éclaircit. Je pris conscience du gouffre qui me séparait de cette enfant dans notre façon de vivre ce genre d'expérience. Devant son premier «koan» sur la condition humaine, Caroline bénéficiait d'un enseignement éclairé: on reconnaissait sa perte, on lui permettait de relater maintes et maintes fois son histoire pendant que s'opérait sa guérison. Par ces débuts modestes, Caroline apprenait que le deuil, loin d'être un ennemi, fait partie de la vie. Elle découvrit la justesse et la beauté du cycle des saisons et de la seule constante qui soit: le changement. On l'incitait à remettre en question la naissance, la croissance, la vieillesse, la décrépitude, l'agonie et la mort; on la respectait d'exprimer ses émotions.

Quel contraste avec ma propre expérience et avec celle des hommes et des femmes avec lesquels je m'étais entretenue pour les besoins de cet ouvrage! Nous sommes nombreux à avoir été bousculés dans nos deuils: «Ce n'est qu'un oiseau! Cela suffit, maintenant!» Ou bien, on nous offrait un remplaçant, ce qui retardait l'inévitable affliction: «Cesse de pleurer, nous en achèterons un autre. Pourquoi pas un chaton?»

Nous sommes très nombreux à avoir grandi sans qu'on nous enseigne à extérioriser notre sentiment de perte, sans pouvoir vivre le deuil normal que connaît tôt ou tard chaque être humain; aussi sentons-nous que l'accès aux profondeurs de notre souffrance nous est interdit, tout comme il nous est interdit de l'exprimer. Quand nous perdons ce trésor que représente un enfant ou une relation avec un enfant, il n'y a pas lieu de s'étonner si nous nous refermons sur nous-mêmes ou si nous mettons au point des stratégies malsaines pour venir à bout de la souffrance qui nous déchire. Il n'est pas étonnant non plus que nous soyons aveugles et sourds au deuil des enfants qui nous entourent. Un tel «aveuglement» perpétue une certaine désinvolture, pour ne pas dire un refus catégorique de l'existence et de la justesse de la douleur humaine. Si nous ne remédions pas à cet état de choses, c'est cette attitude de refus que nous léguerons à nos enfants et à nos petits-enfants.

## LE DEUIL: UNE INITIATION À LA SAGESSE INNOCENTE

Ces réflexions me sont venues tandis que je me penchais sur mes propres deuils. Il m'était devenu on ne peut plus clair que pour pleurer une perte, pour en faire le deuil et pour en guérir, je devais d'abord accepter d'avoir perdu mon innocence.

Les pertes sont cumulatives, en ce sens que chacune ravive le souvenir de celles qui l'ont précédée. Quand mon amie Susan fit deux fausses couches en un an, elle ne pleurait pas uniquement la perte de ses deux bébés, elle ne souffrait pas seulement des circonstances présentes. Ce deuil lui rappelait, dans son corps même, une expérience antérieure, ravivait le souvenir d'une autre souffrance que personne ne pourrait jamais apaiser. Elle était de nouveau l'enfant impuissante qui n'a personne vers qui se tourner quand survient quelque chose de terrifiant et d'épouvantable. Ses fausses couches l'ont forcée à creuser plus profondément les souvenirs de l'inceste qui avait marqué son enfance du sceau de la terreur, et cette exploration a réveillé des sentiments et des peurs qu'elle tentait encore de fuir. Mais c'est justement cette comparaison douloureuse qui lui a permis de nettoyer sa blessure et de la guérir.

Susan n'est pas la seule dans son cas. Presque tous les hommes et les femmes que nous avons interrogés pour les besoins de cet ouvrage ont fait un rapprochement similaire. Ils ont pleuré la perte de l'enfant ou des enfants qu'ils n'ont jamais eus, tout en avouant humblement qu'ils pleuraient aussi sur eux-mêmes: ils ont pleuré leur enfant intérieur et candide qu'on négligeait, l'enfant incompris ou qui ne pouvait s'exprimer. La perte d'un enfant et le deuil incitent un grand nombre de personnes à consulter pour la première fois de leur vie. «C'est la clef qui m'a ouvert une porte verrouillée depuis des dizaines d'années», m'écrivit un homme à propos de la thérapie qu'il avait suivie après s'être battu pour obtenir la garde de ses enfants. «Ce fut pénible, mais j'ai pleuré de m'être dissocié de choses très profondément enfouies en moi.»

Le deuil peut nous rendre notre innocence perdue. Au beau milieu de cette prise de conscience douloureuse de notre impuissance, au beau milieu de cette colère, de cette confusion, de cette culpabilité, nous sommes nus et vulnérables. Le conformisme posé de notre vie adulte est brutalement remis en question, de même que nos moyens de défense habituels et notre attachement à des valeurs secondaires. Quand un enfant nous quitte, dans les faits ou symboliquement, nous réévaluons nos priorités. Pour de nombreuses personnes, c'est l'occasion de transformer leurs valeurs matérielles en valeurs spirituelles.

Ces retrouvailles avec une pureté organique n'ont pas lieu avec la naïveté de l'enfance, mais avec ce que j'appelle la *sagesse innocente,* qui est en fait une maturité non dépourvue de candeur. La sagesse innocente se fonde sur le fait que santé, bonté et joie de vivre sont notre droit d'aînesse. La sagesse innocente est le terreau de la spontanéité et du bonheur.

Bien entendu, on peut parvenir à la sagesse innocente par d'autres moyens, mais le deuil, si douloureux soit-il, nous y conduit rapidement. Je crois que notre désir de sagesse innocente contribue grandement au vide que nous ressentons quand nous perdons un être cher, et qu'il peut nous être bénéfique d'en prendre conscience. Si nous savons quelles découvertes nous attendent pendant notre voyage, nous pourrons plus facilement les reconnaître, les chérir, et en tirer profit quand nous les croiserons en cours de route.

Le fait de pleurer la perte d'un enfant, même plusieurs années après l'événement, nous aide à voir la vie autrement, à établir avec autrui et avec nous-mêmes des rapports différents. Cela nous permet d'agrandir la brèche dans notre armure et de mieux respirer. Ainsi pouvons-nous accéder à notre plénitude.

# 2

# Racontez votre histoire

*Notre société ne sait plus ressentir, car trop d'histoires
demeurent secrètes et ne sont jamais entendues.*

MARION WOODMAN

Pourquoi ne pas commencer par nous parler de la perte que
vous avez subie?

Susan et moi formulions doucement cette invitation après
avoir versé le thé.

— Commencez où vous voulez ou retournez au début. Libre à
vous.

J'ai souvent pu constater que ces mots seuls suffisent à arracher
des larmes aux hommes et aux femmes qui ont accepté de parler
des enfants qu'ils ont perdus ou qu'ils n'ont jamais eus.

Ce sont autant des larmes de gratitude que des larmes de tristesse à la pensée de douloureux souvenirs: un autre être se montre
assez attentionné pour écouter le récit de leur lutte, de leur confusion, des pénibles décisions qu'ils ont dû prendre. Je leur enjoins
de prendre tout leur temps.

Deux ou trois heures plus tard, au moment de nous dire au
revoir, on nous remercie du fond du cœur, parfois en silence, parfois en larmes, parfois par une étreinte et quelques propos sentis.
Tous nous sont reconnaissants d'avoir pu se livrer. Nous ne
sommes que les témoins de leur douleur, sans plus. Ils sont leurs

propres guides dans le labyrinthe de la souffrance, s'approchant peu à peu de la lumière chaque fois qu'ils avouent leur culpabilité, leur peur, leurs échecs. Un parfum de pardon et de compassion flotte dans la pièce telles des vapeurs d'encens et imprègne nos vêtements, notre peau, nos cheveux, même si le pardon n'est jamais exprimé en mots. Susan et moi avons le cœur brisé, mais le fait d'être ainsi de simples témoins, loin de nous affliger, nous redonne de l'énergie. Nous nous sentons unies à ces hommes et à ces femmes et, à travers eux, à l'humanité tout entière.

Le formidable succès que connaissent les groupes d'aide et de développement personnel vient de ce que le simple fait de se raconter devant un interlocuteur qui nous manifeste de l'empathie, surtout s'il s'agit d'une personne qui a vécu une perte similaire ou qui n'a pas peur d'avouer qu'elle souffre, peut déjà entamer le refus qui nous garde prisonniers de notre détresse. Quand une autre personne écoute notre récit sans porter de jugement, une porte nous est ouverte. Nous avons dès lors le droit de ressentir les émotions suscitées par notre récit. Nous avons le droit de revivre les événements qui nous ont traumatisés, qui nous ont fait peur, qui nous ont fait de la peine, mais dans un contexte à la fois sécurisant et affectueux. Cela équivaut à exposer une blessure au soleil, dont les rayons peu à peu la cicatrisent.

Le deuil est une expérience solitaire. Il est très difficile d'admettre qu'aucune autre personne, peu importe son degré d'intimité physique ou affective avec nous, ne peut ressentir l'ampleur toute particulière de notre souffrance personnelle, pas plus que nous ne pouvons ressentir la sienne. Le fait de savoir que nous devons supporter seuls notre douleur a pour effet de l'intensifier. Une fois rompu le silence, les personnes qui souffrent trouvent une consolation dans la certitude que tout être humain doit porter sa croix. Il est difficile de nier que survivre et même guérir sont possibles quand une autre personne qu'afflige aussi un chagrin personnel reste sereinement assise en face de nous.

Nous devons rompre le silence. Nous devons raconter notre histoire, oralement ou par écrit, pour que la guérison puisse se produire. Nous allons tout d'abord apprécier la valeur du récit oral, après quoi nous vous proposerons de tenir en privé votre journal intime.

Après s'être adonnée à certains des exercices que nous préconisons dans cet ouvrage, Catherine, une femme de vingt-sept ans qui venait de perdre la garde de son enfant, écrivit:

> C'est souvent très salutaire d'exprimer sa douleur, et aussi d'en parler par écrit et de faire lire ce texte à quelqu'un d'autre. C'est comme si on s'en remettait à Dieu, ou à une autre puissance supérieure. Je ne veux pas dire que l'on s'en débarrasse. On ne doit pas oublier. On doit admettre sa détresse et la ressentir. C'est un procédé tout simple qui nous ramène sur terre, qui nous remet en contact physique avec un chagrin commun à tous les êtres et qui nous rappelle que nous devons parvenir à concilier toutes ces choses.

## LES MOTS QUI GUÉRISSENT

«Les mots sont des anges», a dit le psychologue James Hillman. Cette image me semble tout à fait appropriée. Les mots sont vivants et sacrés. Quand nous exprimons ce qui fait notre vérité, nous ravivons le souvenir de ce qui fut. Quand nous trouvons les mots justes, ceux qui viennent du tréfonds de notre être, qui sont vibrants d'émotion et de vérité et non pas de simples outils intellectuels, parler devient un acte transformateur. Notre énergie est libérée et, en dépit de la douleur que cela réveille, nous nous sentons renaître. J'ai pu constater que le fait de raconter leur histoire était souvent pour les gens l'occasion de certaines découvertes. Tout à coup, au beau milieu de son récit, Jacques, qui occupait un poste cadre dans l'industrie de la musique et qui avait perdu la garde de ses deux enfants au moment de son divorce, s'interrompit:

— Oh, je comprends maintenant. Voilà une pièce qui manquait à mon casse-tête.

Voilà ce que parler peut faire. Parler peut nous aider à «combler les vides», à puiser à cette sagesse que nous possédons tous. Notre récit nous permet de renouer avec nos «sources», c'est-à-dire avec notre sagesse intérieure, avec Dieu, avec une puissance supérieure, bref à retrouver ce que nous avions perdu.

Souvent, cependant, pendant que Barbara, Robert ou Julie faisaient le récit de leur perte, j'avais l'impression qu'ils en étaient encore dissociés. Leurs paroles avaient un caractère irréel, comme si leur épreuve avait été vécue par quelqu'un d'autre. Parfois, la personne qui parlait décelait ce phénomène.

— On dirait, me confia une amie, que je raconte une histoire d'horreur qu'a vécue une pauvre femme, mais que j'ai du mal à prendre conscience du fait que cette pauvre femme, c'est moi.

Voilà pourquoi il est si important de raconter plusieurs fois votre histoire, car c'est seulement par la répétition que vous parviendrez à l'*entendre*. Chaque narration vous rapprochera de l'«être» que vos mots décrivent.

— Plus je parle, nous dit un jour une femme, plus je ressens. Plus je ressens, plus je souffre. Plus je souffre, plus j'accepte ma souffrance.

À force de raconter notre histoire, nous parvenons à dissocier ce que nous aurions pu ou n'aurions pas pu changer, ce qui relevait de notre responsabilité et ce qui n'était pas de notre ressort. Cette aptitude à distinguer nous renforce. Nous prenons des décisions plus éclairées et nous comprenons mieux notre vie.

## Un endroit sûr

Je vous conseille vivement de ne pas vous confier à tout un chacun, à moins d'être disposés à passer pour une personne «bizarre» ou égoïste et à accepter qu'on vous console à la va-vite pour aussitôt se désintéresser de vos problèmes. De nombreuses personnes appréhendent vos confidences, car elles savent que le récit de vos souffrances réveillera les leurs. Elles se hâtent d'essayer de vous guérir avant même que vous ayez posé votre diagnostic.

Idéalement, nous devrions nous confier à une personne objective, à un témoin qui ne portera pas de jugement, dans un «endroit sûr», c'est-à-dire dans le cabinet d'un thérapeute, à un prêtre ou à un groupe de soutien et de développement personnel. Une règle fondamentale de ces réunions de groupe consiste à s'abstenir de donner des conseils, parfois même à s'abstenir d'étreindre la personne qui souffre, car une étreinte peut facilement être reçue comme une consolation. On trouve de plus en plus de groupes de soutien dans les grandes villes et même dans les petites collectivités partout au pays.

Les amis intimes et les membres de votre famille peuvent également être vos témoins à la condition qu'ils sachent vous écouter. Il peut être humiliant d'avouer sa faiblesse ou son chagrin. Vous devez être certain que la personne qui vous écoute ne retournera pas vos confidences contre vous. Vous devez vous sentir libre de blasphémer, de prendre Dieu à témoin, de révéler des secrets concernant votre père ou votre mère. Un «endroit sûr» est un endroit où rien ne vous blessera, où l'on ne vous punira pas d'agir comme vous le faites, car ce sont là les moyens qui peuvent enrayer vos mécanismes de refus. En parlant de la mort imminente de son père, le poète Dylan Thomas choisit des mots lourds d'intensité: «N'entre pas doucement dans cette bonne nuit», gémit-il, puis il explosa: «Maudit, maudit la mort de la lumière.» Il faut beaucoup de courage pour se faire le témoin de la fureur d'autrui en résistant à la tentation de lui offrir des solutions faciles.

J'ai moi-même fait part de ma détresse à des amis fidèles et découvert à quel point cet acte pouvait être une source de courage et d'affection.

Extrait de mon journal: Aujourd'hui, Susan a invité son amie Cécile à se joindre à nous pendant la matinée. Nous nous sommes réunies dans mon bureau dans le but d'enregistrer mon histoire personnelle pour les besoins de mon livre. Susan était au clavier de l'ordinateur, tandis que Cécile m'interrogeait et m'écoutait avec attention. L'ambiance était chaleureuse et enveloppante. Je me sentais en sécurité. J'ai relu plus tard mon «témoignage». Que d'émotion! J'ai pu constater à quel point le fait de se raconter à un interlocuteur attentif peut être une expérience révélatrice. Certains de mes propos m'ont étonnée. Avant même que je n'entame mon récit, Susan prenait note de mon chapelet d'excuses. Je m'efforçais de les rassurer toutes les deux, parce que je craignais de n'avoir «rien de bien nouveau» ou de «bien extraordinaire» à leur confier. J'ai pu déceler ensuite dans cette mise en garde un réflexe d'autodénigrement commun aux personnes qui nient leur douleur. «J'ai déjà raconté mon histoire, dis-je. Je l'ai même écrite. Je crois comprendre le comment et le pourquoi de mon hystérectomie et les raisons qui m'ont poussée à ne pas adopter d'enfants.»

Les deux femmes m'ont encouragée à poursuivre. Elles savaient que j'avais accepté ma perte intellectuellement, mais elles comprenaient beaucoup mieux que moi que mon corps n'en avait pas fini de son deuil. Quelque chose l'en empêchait.

Plus je me confiais, mue par la gentillesse de leur accueil, plus je me détendais. C'était une sensation très physique. J'avais l'impression qu'on me pétrissait comme de la pâte. J'éprouvais le même bien-être qu'après un bain sauna ou après l'amour. C'était une sensation de tendresse intérieure, de douceur enfantine. Plus elles m'interrogeaient, plus je me confiais. Je suis entrée en contact avec mon deuil.

Le deuil nous transporte dans le «royaume souterrain» qui, dans la cosmologie chamaniste, était à la fois le domaine des démons et le lieu où l'on préservait les secrets de la guérison. De nos jours, ces «démons» sont vraisemblablement les émotions fortes, parfois même bouleversantes, que nous refoulons entre gens bien élevés. Notre société occidentale semble s'être donné pour but d'enterrer la moindre de nos interactions avec le royaume souterrain, de l'éviter à tout prix. Il en résulte beaucoup de perversion et de violence, parfois extrêmes.

Le récit est une soupape de sûreté, comme celles qui préviennent l'explosion d'une chaudière. Il possède un grand pouvoir thérapeutique, comme toute confession sincère. Tout ce que nous gardons caché renforce notre honte, lui donne une apparence trompeuse, l'enracine plus profondément. Quand nous nous confions à un témoin, quand nous relatons la façon dont notre détresse a fait naître en nous des réactions de violence, des sentiments de haine de soi et un désir de vengeance, nous constatons que, loin de nous isoler ou de nous aliéner la sympathie de l'autre personne, notre récit provoque chez elle un soupir de soulagement.

Ma confession personnelle a resserré les liens de compréhension entre mes amis et moi. Mon mari en a tiré de précieux renseignements quant à mon comportement habituel et aux raisons qui me poussent à agir ainsi. Il s'est montré plus patient et plus compréhensif, il a réagi avec plus de douceur à mes occasionnelles humeurs chagrines.

Vos interlocuteurs ressentiront sans doute aussi votre colère ou votre peine, sans pour autant tenter de les empêcher. Ils vous offrent une chance réelle de guérir, un véritable sanctuaire, comme l'espace sacré d'une église ou d'un temple. Ce sanctuaire attise le pouvoir divin de chacun, l'esprit guérisseur qui habite en nous tous. Cet esprit n'est pas distinct du mouvement naturel de la vie qui conduit à la guérison dès que le contexte lui est favorable.

Votre témoin est une personne qui se souvient de ce que vous avez tendance à oublier sur vous-mêmes, particulièrement en période de stress: derrière le chaos apparent, derrière la douleur, le sentiment de devenir fou, de perdre le contrôle, derrière les larmes et la colère, vous êtes entier, vous êtes «fondamentalement bon», comme l'enseignait le maître spirituel tibétain Chogyam Trungpa. Il se souvient que l'entièreté et la bonté sont les deux caractéristiques les plus tenaces de tout l'univers.

Dorothée m'a rappelé comme il peut être salutaire de se faire le témoin de la souffrance d'autrui. À vingt ans, elle avait confié son enfant à l'adoption. Aujourd'hui, vingt-cinq ans plus tard, elle parle de la façon dont elle accueillerait une autre femme dans la même situation qu'elle.

Si j'avais l'occasion de parler à une femme qui s'apprête à faire ce que j'ai fait, je la prendrais tout simplement dans mes bras. Je ne dirais sans doute pas grand-chose, sinon «Mon Dieu, je sais comme c'est douloureux». Je pourrais lui raconter mon histoire. Il n'y a vraiment rien d'autre à faire. Nous ne pouvons pas ressentir à la place de l'autre. Mais parler, dire «Voilà ce qui m'est arrivé», cela peut aider. Qui sait, peut-être verrait-elle émerger quelque chose de beau de tout ce chagrin?

### LIRE LES HISTOIRES DES AUTRES

Cet ouvrage réunit des récits qui ont été relatés dans un «endroit sûr». Ce sont les chagrins et les guérisons d'hommes et de femmes qui n'ont jamais eu d'enfant, qui ont perdu un enfant ou une relation avec un enfant. Ce sont des histoires comme celles que vous entendriez maintes et maintes fois au sein d'un groupe d'aide et de développement personnel. En les lisant, vous vous mettrez à l'écoute. Vous vous affronterez vous-mêmes. Leur détresse vous rappellera la vôtre. Leur courage et leur sagesse ranimeront les vôtres. Vous ne pourrez être leur témoin que si vous parvenez à être le témoin de votre propre vie, à écouter votre propre histoire. En vous posant ce défi, on vous invite et vous aide à vous juger moins sévèrement, à être aussi compatissant envers vous-mêmes que vous l'êtes envers quelqu'un d'autre. Ces histoires sont pour vous.

En m'ouvrant à la douleur des personnes que j'ai interviewées, j'ai ameubli la terre durcie autour de mon propre deuil. Au cours des jours qui ont suivi, mes souvenirs des événements qui avaient entouré mon hystérectomie se sont précisés. J'ai pu remonter jusqu'au moment de mon enfance où j'avais pris la décision de ne jamais devenir mère. Soudain, mon travail de deuil a pris une tout autre dimension. Je ne pleurais pas seulement la perte de la maternité. J'affrontais le deuil douloureux de mon innocence. Cette prise de conscience m'a été révélée par le récit d'une autre femme. Je l'ai entourée de mes bras, tandis que les larmes inondaient mes joues.

Si nous sommes vulnérables, sensibles à la personne qui vit son deuil au moment où elle s'y donne avec sincérité, nous nous offrons la possibilité de mieux évoluer nous-mêmes par notre propre deuil.


### À CHACUN SON RYTHME

Le deuil et la guérison n'obéissent pas à un horaire objectif. Elisabeth Kubler-Ross, qui a ouvert la voie aux mouvements centrés sur le deuil conscient, déclare que pour certains individus le deuil est «violent et rapide» et que pour les autres il est «violent et lent». En notre qualité de témoin du deuil d'autrui ou de notre propre deuil, nous nous devons de respecter le rythme de chacun. Tous ne sont pas prêts à ressentir pleinement les effets d'une blessure. Un temps de refus est nécessaire pour que le corps et l'esprit s'ajustent aux pertes qui affecteront tous les aspects de leur fonctionnement. Heureusement, le corps et l'esprit, en se cachant certaines choses, atténuent le choc de la découverte. Nous nous rendons un bien mauvais service quand nous nous poussons ou que nous poussons les autres à «passer au travers» au plus vite.

Mais il est d'autant plus difficile de résister à cette tentation que la détresse de l'autre personne est clairement inscrite sur son visage ou perceptible dans l'attitude de son corps. Nous voulons aider cette personne, lui procurer un soulagement. Pour ce faire, nous devons procéder avec circonspection et respect. Un témoin peut inviter la confidence, jamais il ne doit l'exiger. Un témoin se fie à la sagesse de l'âme. Si, comme dans le Programme en douze étapes des Alcooliques Anonymes, on s'en remet à une puissance supérieure, on a d'autant plus raison d'avoir confiance, de savoir que le processus lui-même se déroule à son rythme, suit son propre tracé, obéit à ses propres cycles.

Fiez-vous à votre rythme personnel en lisant les histoires qui suivent. Refermez le livre quand vous en aurez «assez entendu pour aujourd'hui», et reprenez-le quand vous serez prêt à aborder le prochain tournant. Si on le consulte avec circonspection, cet ouvrage peut être d'un précieux secours, en particulier aux personnes qui ne bénéficient pas de l'aide d'un témoin personnel. Entrez doucement dans cette réflexion sur le deuil.

Dans la deuxième moitié du présent chapitre, je propose différents moyens de faire face aux appréhensions qui pourraient surgir en cours de route. Ces moyens sont des outils importants qui vous aideront à entreprendre ou à poursuivre votre ascension.

## NOS BLESSURES SONT NÉCESSAIRES

Les Polonais ont une expression populaire que l'on pourrait à peu près traduire par: «La vie est brutale. Elle est pleine de pièges.»

Quand nous entreprenons le deuil de nos blessures, surtout de celles qui se rapportent aux enfants, il se peut que nous ressentions un soulagement presque immédiat. Dans ce cas, nous pourrions être tentés de nous laisser prendre au piège, désirer un soulagement encore plus grand, vouloir exorciser tous nos démons, nous fixer des attentes irréalistes et croire qu'en nous y efforçant, nous nous libérerons de toutes nos souffrances, nous guérirons toutes nos blessures. Mais cela ne se passe pas ainsi. Les blessures laissent toujours des cicatrices. Nous n'oublions rien. Nous apprenons tout simplement à vivre avec nos maux. Et il est bien qu'il en soit ainsi.

Nos blessures nous sont nécessaires! Elles sont la preuve de notre engagement dans l'évolution de la vie humaine. Nous devrions honorer ces blessés dont nous faisons partie au lieu de combattre les uns contre les autres, d'essayer de nous changer les uns les autres, de nous transformer nous-mêmes ou de nous priver de force de toutes nos meurtrissures. Quelle arrogance! Et quelle perte de temps.

Nos histoires ont quelque chose d'universel, car, au fond, tous les êtres humains ont subi un traumatisme qui est le même pour tous: nous nous sommes scindés de la personne que nous sommes en réalité, ou encore, nous avons cru être privés de la bonté de Dieu. Nos meurtrissures quotidiennes peuvent nous rendre plus conscients de cette blessure ultime. Imaginez un monde dans lequel tous les êtres connaîtraient leur traumatisme commun. Quand nous en avons fait l'expérience par nous-mêmes, nous pouvons trouver l'inspiration et le courage nécessaires pour aider autrui à le découvrir. C'est l'œuvre de toute une vie.

Ce livre n'est pas un mode d'emploi pour atteindre la perfection ou pour protéger nos enfants des meurtrissures de la vie. C'est impossible. Partout où il y a vie, il y a perte. Ce livre est davantage un manuel d'alchimie, car l'alchimiste est celui qui sait que ses démons sont aussi ses dieux. Il peut transformer le vil métal de ses blessures en or de clémence, de compassion et de guérison pour ses parents, pour ses enfants et pour lui-même.

## Vivez votre deuil par l'écriture

L'auteur C.S. Lewis, peu après le décès de son épouse bien-aimée, entreprit de tenir un journal de deuil. Ce journal intime, signé d'un pseudonyme, fut publié en 1963 sous le titre: *A Grief Observed*. Lewis décrit ainsi cette entreprise: «un moyen de défense contre l'écroulement, une soupape de sûreté.» La tenue de ce journal lui fit prendre conscience du fait que «le deuil fait universellement et intégralement partie de l'expérience de l'amour».

J'ai pu vérifier par moi-même le pouvoir de guérison et de débrouillement du journal intime, particulièrement en temps de crise. En ma qualité de soutien aux familles en deuil dans le cadre d'un programme de soins palliatifs à domicile dans une grande ville de l'ouest du pays, j'ai conçu, avec l'aide de mon directeur, une forme particulière de journal intime destiné aux personnes en deuil. Une fois par mois pendant l'année suivant le décès d'un être cher, les membres de la famille recevaient une lettre de leur conseiller. Chaque lettre abordait un aspect du processus de deuil, proposait des suggestions, de même que des réflexions d'autres personnes ayant subi une perte similaire. La lettre comportait aussi une série de questions graduées devant inciter à la réflexion et à la rédaction.

J'avais préconisé ce «deuil par l'écriture» des années auparavant dans le cadre de mes cours pour adultes intitulés «Vivre son deuil». La tenue du journal intime était au centre du programme et le moyen le plus souvent mis en œuvre pour faire face à des états émotionnels intenses, pour répondre à des interrogations obsédantes ou pour ordonner son chaos intérieur. Pour des centaines d'étudiants, écrire devint une façon de rétablir l'équilibre compromis par leur expérience bouleversante et d'accéder sans délai à leur sagesse intérieure.

J'ai secrètement écrit de nombreuses lettres que je n'ai jamais eu l'intention d'expédier, simplement parce qu'il me fallait exprimer des pensées ou des sentiments que, sans cela, j'aurais refoulés. Les sentiments refoulés se digèrent mal et se soldent avec le temps par des problèmes encore plus graves. En les couchant sur papier, j'ai mieux été en mesure de découvrir ce que je voulais sans chasser ma colère ou ma souffrance plus profondément encore en moi ou sans les reporter sur quelqu'un d'autre. Même si le processus lui-même a été très douloureux, j'en ai été grandement soulagée, allégée, éclairée, et parfois même très étonnée de connaître certains moments de joie.

Des années après le décès de son fils, André a tenu un journal intime qui lui a été d'un très grand secours. Il a écrit:

> L'écriture comme moyen d'expression a été pour moi une bouée de sauvetage et le chemin qui m'a ouvert une part de moi profondément enfouie qui, jusque-là, vivait sans discipline aucune. Les mots, les sentiments y existaient depuis toujours, mais ils flottaient, informes et sans structure. Quand je raconte dans mes propres mots et que je relis ensuite ce qui se passe en moi, je comprends mieux qui je suis et je suis mis en contact avec quelque chose ou quelqu'un que je souhaitais rencontrer depuis longtemps. «Te voici», me dis-je. «Regarde ce que tu deviens, regarde comment tu te transformes. Tout est là, écrit en noir sur blanc.» Je change sans cesse, et je veux ne jamais être en retard sur moi-même. Il y a en moi tout un univers inexploré, mais qui n'en est pas moins partagé et apprécié. Je veux partir à sa découverte.

## RACONTEZ-VOUS VOTRE HISTOIRE

Il n'est pas toujours possible ou agréable de recourir à une autre personne pour être témoin de notre deuil. Mais écrire l'histoire de sa perte, l'enregistrer, sont deux façons très adéquates de vivre une perte. Écrire des poèmes, des chansons ou des prières pour donner une forme à un mystère par ailleurs impalpable est une pratique très ancienne, un rituel antique. Songez aux tragédies grecques, aux Psaumes, au Livre de Job. De nos jours, des milliers de manuscrits sont écrits quotidiennement qui ne seront jamais publiés mais qui aident leurs auteurs à prendre le recul nécessaire devant leur deuil et leur souffrance, à trouver un sens à leur tragédie personnelle.

La plupart des gens admettent sans peine qu'il leur est plus facile de voir clairement la vérité dans la vie de quelqu'un d'autre que dans leur propre vie. Nous conseillons sans peine à nos amis de «se ménager un peu». Nous devinons que nos amis s'illusionnent. (C'est parfois si évident que nous ne comprenons pas qu'ils ne s'en rendent pas compte!) Pourtant, nous devenons intraitables quand nous devrions plutôt être compatissants envers nous-mêmes. Nous devenons oublieux de tout quand nous devrions plutôt admettre qu'une épée de Damoclès est suspendue au-dessus de nos projets et de nos attentes. Et c'est précisément pour cette raison que l'écriture est un outil remarquable. Écrire nous permet de noter en noir sur blanc ce que nous voyons, ce que nous savons et ce que nous apprécions de nous-mêmes. La relecture du texte que nous avons écrit équivaut ensuite à recevoir un message d'un ami secourable ou d'un aîné.

Certains types de journal intime nous rendent plus attentifs à la voix de la sagesse, à notre guide intérieur et à notre équilibre inné. Mais ces révélations sont souvent occultées par la vie consciente. Ainsi que le notait André, les pensées et les sentiments qui flottent en nous sans que nous puissions les exprimer nous paraissent très détachés du reste, superficiels et confus. Quand je prends le temps de coucher ces pensées et ces sentiments sur papier, de leur donner une forme, je me rends compte qu'un certain classement se produit alors de lui-même. La vérité émerge et je me souviens de ce que j'avais oublié.

Pour bon nombre de personnes, écrire est une tâche pénible; elles préféreraient faire autre chose. Consolez-vous en songeant que certains des meilleurs écrivains du monde voient l'écriture comme une corvée, et plusieurs d'entre eux s'en passeraient si écrire ne les empêchait pas de devenir fous. L'un d'eux, Gene Fowler, a dit: «Écrire est facile. Il suffit de s'asseoir devant une page blanche et d'attendre que votre front se couvre de gouttes de sang.»

Si vous n'aimez pas écrire, vous n'êtes pas seul. Selon mon expérience auprès de centaines d'étudiants, il suffit d'une structure minimale pour que l'écrivain récalcitrant puisse commencer son texte. Une fois leur texte enclenché, la plupart des gens constatent avec plaisir que poursuivre est facile, et que la relecture de leur récit leur procure de grandes joies.

À défaut d'autre chose, lisez au moins quelques-unes des questions qui parsèmeront ce livre dans le but de vous inciter à tenir un journal intime. Au lieu de consigner vos réponses par écrit, accordez-vous quelques minutes de silence pour réfléchir. Vous tirerez profit de cette réflexion silencieuse.

L'autre réserve souvent formulée à l'égard de l'écriture est que le fait de décrire sa détresse risque de la raviver et de l'intensifier. C'est en partie vrai. Écrire son histoire, ou la raconter, remue les braises de la souffrance, parfois des années après. Mais il est faux de croire qu'éprouver une souffrance l'intensifie. Au contraire, c'est en affrontant sa douleur que l'on parvient à la guérir. Les «déclencheurs» proposés ici pour la tenue d'un journal intime ont pour but de clarifier votre pensée, d'apaiser l'émotion accumulée depuis longtemps et, surtout, de vous aider à retrouver votre force et votre sagesse intérieures.

## DONNEZ CORPS À VOS MOTS

Écrire requiert la participation de tout le corps. Vous vous servez d'un instrument: plume, crayon, stylo, clavier de machine à écrire ou d'ordinateur. Le passage de la pensée à la parole écrite stimule certains circuits neurologiques. Plus nombreuses seront les «parties» de votre être qui participeront à ce processus, plus il vous sera facile de donner «corps» à vos mots.

«La possibilité d'être une mère normale, avec des enfants normaux, dans une famille normale m'a été niée», a écrit une femme souffrante, dont le fils est gravement handicapé mentalement et dont la fille diabétique, âgée de onze ans, sera bientôt atteinte de cécité. Au début, son récit était clair et rationnel, son écriture petite et contrôlée. Mais, quelques phrases plus loin, à mesure qu'elle décrivait ses innombrables souffrances quotidiennes, «les réactions insensibles et blessantes de la plupart des gens, et la boule de COLÈRE au-dedans de moi», son écriture se libérait de plus en plus, et elle épelait le mot COLÈRE en grandes lettres rouges.

Il est normal que l'écriture en vienne en quelque sorte à vivre sa propre vie, à nous entraîner à notre insu dans des domaines d'expression que nous avions toujours tenus cachés. Mais parce que nous pouvons nous interrompre à tout moment et parce que notre sagesse intérieure agit comme un frein qui nous garde des excès, l'écriture constitue un lieu sûr.

L'écriture n'est pas uniquement une «catharsis», c'est-à-dire une purge ou une libération. C'est plutôt une «cathexis», soit l'intériorisation d'une douleur dans le but de créer une matrice, un fondement interne à notre transformation personnelle.

Dans son merveilleux ouvrage intitulé *Leaving My Father's House*, Marion Woodman, une psychanalyste jungienne, appuie cette idée selon laquelle l'histoire personnelle de chacun est à la base de son développement. Elle dit:

> En découvrant notre histoire, nous rassemblons les fragments qui nous composent. Quel que soit le chaos que nous avons créé, nous pouvons avoir une vue d'ensemble de nous-mêmes et voir comment nos gaffes sont interreliées. Nous pouvons prendre possession de nos actes, apprécier qui nous sommes, non pas en fonction du résultat mais à cause de ce passé qui nous a inspiré nos comportements. Cette histoire est notre mythe personnel.

## COMMENCEZ MAINTENANT

De même que Susan et moi avons invité les personnes interviewées pour les besoins de ce livre à nous parler de leurs pertes, je vous invite à me parler des vôtres. Prenez-moi à témoin, écrivez, parlez, ou contentez-vous de vous remémorer mentalement votre histoire. Commencez au commencement, ou encore à cette étape de votre histoire où votre douleur converge en ce moment précis.

Écrivez ce que vous venez de vivre ou ce que vous découvrez maintenant. Notez les souvenirs que ravive la lecture des récits réunis dans le présent ouvrage. Parlez par écrit de vos plus vives appréhensions, des questions qui vous hantent, de votre sentiment de perdre le contrôle. Parlez de tout ou de n'importe quoi.

Écrivez une lettre imaginaire à votre meilleur ami ou à vous-mêmes. Puisque vous ne l'expédierez sans doute pas, ne vous inquiétez pas de l'écrire «dans les formes». Une lettre est un excellent moyen de vous pousser à écrire si vous craignez de ne pouvoir le faire autrement.

Parlez à cet ami de la perte que vous subissez en ce moment. Décrivez-lui votre vie en général. Vous pourriez lui parler de votre santé, de votre aptitude à affronter le stress provoqué par ce deuil, de vos inquiétudes au sujet des autres enfants ou des membres de votre famille, de votre travail, de votre vie sociale et communautaire. Bref, parlez-lui de tout ce qui vous importe et vous préoccupe dans le moment présent.

«Chère Émilie, écrivit une étudiante à sa meilleure amie. Au moment de coucher ces lignes sur papier, je me rends compte comme il m'est pénible et douloureux de mettre au jour mes pensées, mes sentiments et mes expériences les plus intimes. Comment exprimer le choc que j'ai ressenti à la mort de mon bébé, face à ma nouvelle "solitude"? Peux-tu comprendre que mes rêves, mes projets, mes peurs aussi soient tous morts avec lui? La mort de la peur m'a quelque peu soulagée. La mort du bébé et des rêves n'a débouché que sur le vide et la détresse...»

À mesure qu'elle écrivait, cette femme a soulevé des tas de questions. Elle a également vu le sens prendre forme en elle. «J'ai été amenée à lutter corps à corps avec le Dieu cruel de mon enfance. Il est un imposteur. Mais un vrai Dieu commence enfin à me dévoiler son visage...» Elle a noté toutes les tangentes que prenait son récit, mais elle pouvait les observer avec un certain recul. «Il m'est impossible de parler de mon deuil sans dévoiler des expériences sans lien apparent avec le sujet qui m'occupe, car ces événements m'ont faite telle que je suis, ils conditionnent ma réaction et ma perception de la vie. Mon deuil est inextricablement mêlé au tissu de ma vie. Merci d'"écouter" tout ce que j'ai à en dire.»

Le récit de votre deuil peut se limiter à une seule lettre ou s'étaler sur plusieurs chapitres. Si écrire vous rebute, prévoyez certaines limites de temps et d'espace pour que votre projet ne vous submerge pas d'emblée. Vous pourrez toujours écrire une autre lettre demain! En fait, c'est ce qu'il conviendrait de faire. Rédigez une correspondance. Rédigez une lettre aujourd'hui, et demain la réponse de votre ami. Tant de voix, tant de personnalités se superposent en nous qu'il n'est jamais bien difficile d'en faire parler plusieurs tour à tour.

Quand vous en aurez terminé avec votre première séance d'écriture, relisez ce que vous avez écrit. Il se pourrait que des sentiments prennent forme. Les larmes vous monteront aux yeux, la colère ou la peur vous envahiront peut-être. Pour tirer profit de cette énergie très dynamique, passez à l'étape suivante de l'écriture: la synthèse provisoire. Écrivez tout simplement: «Après avoir écrit et relu cette lettre, je comprends que...»

Voici la réaction de Jeanne, une autre de mes étudiantes qui avait perdu un enfant: «Après avoir écrit et relu cette lettre, je comprends que je ne m'affranchirai jamais complètement de la douleur de cette perte, mais tant que je pleurerai mon fils il fera partie de ma vie; je ne troquerai jamais la douleur pour les souvenirs.»

Gilbert, un jeune homme, a écrit: «Ce que j'ai découvert de plus important en tenant ainsi un journal intime, c'est l'estime. J'ai la chance de découvrir et d'apprécier des aspects de moi qui m'avaient échappé jusqu'à ce jour.»

## COMMENT ÉCRIRE

Si vous optez pour l'écriture, n'oubliez pas que vous écrivez pour vous seul. Écrivez comme si personne n'allait jamais lire votre texte, même si vous découvrez en cours de route que vous aimeriez le faire lire à quelqu'un d'autre. Ce que vous écrivez pourrait se révéler d'une certaine utilité à autrui. Les personnes qui viennent de subir une perte peuvent trouver une consolation dans le fait que d'autres ont survécu à la même affliction.

Par conséquent, soyez honnête. Osez admettre ce que vous n'osez pas admettre d'habitude, osez parler de ce qui vous semble trivial, stupide, humiliant, péché ou peu approprié. Libérez-vous. Que l'écriture soit pour vous une confession. Vous pourrez toujours brûler votre texte pour préserver votre secret, ou encore l'offrir à Dieu, ou faire en sorte qu'il récompense votre développement personnel, votre accession à la maturité.

D'autre part, ne vous forcez pas à être complètement honnête. Nous nous efforçons tous de savoir *quelle est* notre vérité; le fait d'écrire vous aidera dans cette quête, quelles que soient vos convictions. Ces incertitudes font partie du processus de guérison. Souvent, nous ignorons ce que nous ressentons; nous savons seulement que nous sommes malheureux. Écrire nous permet de clarifier notre pensée et nos émotions.

Efforcez-vous d'écrire vite et de ne pas vous relire avant d'avoir terminé, afin d'éviter de vous autocensurer en cours d'écriture. La plupart des gens s'étonnent de la facilité avec laquelle ils se livrent s'ils renoncent à se critiquer.

Recourez à plusieurs genres. Si vous êtes porté à écrire des lettres, passez de temps à autre à la poésie, ou encore, dessinez la douleur que vous ressentez avec des crayons ou des feutres de couleur. Si vous favorisez l'écriture descriptive, optez plutôt pour le dialogue entre deux personnes, entre deux aspects de vous-mêmes. Nous aborderons toutes ces méthodes plus en détail dans le chapitre 10.

Datez chacun de vos écrits. Si vous êtes comme moi, vous trouverez intéressant et encourageant de pouvoir ainsi observer vos progrès.

Enfin, si vous optez pour l'écriture, ne cherchez pas à écrire «comme il se doit». Un journal intime n'est pas toujours soigné. La vie non plus, du reste: votre journal ou votre écriture épistolaire seront un reflet de votre vie. Comme le disait Natalie Goldberg, brillant écrivain et professeur d'écriture: «Écrivez, écrivez, écrivez. Au beau milieu du monde, faites un geste positif. Au milieu du chaos, agissez. Écrivez. Dites oui, réveillez-vous. Écrivez, écrivez, écrivez.»

## À CEUX QUI N'ÉCRIVENT PAS

Ne vous arrêtez pas de lire même si vous décidez de ne pas écrire, car votre deuil se poursuivra quand même. La dernière chose dont vous avez besoin en ce moment, c'est de vous sentir inutilement coupable de ne pas faire ce que je vous dis. Oubliez tout cela.

## COMMENT LIRE CE LIVRE

Les chapitres qui suivent sont conçus pour vous aider à vivre seuls votre deuil. Vous pouvez les lire dans l'ordre ou sauter d'un chapitre à l'autre selon vos besoins. Chaque chapitre relate une ou plusieurs histoires de deuil d'enfant dû à un avortement, à la perte du droit de garde, à la stérilité, et ainsi de suite. Mais la sagesse, l'inspiration et le bon sens que partagent les hommes et les femmes qui se racontent ici sont universels. Quelle que soit votre perte, ces récits devraient vous toucher. La confusion et l'ambivalence si souvent caractéristiques du deuil que provoque une fausse couche se retrouvent, à des degrés divers, dans toutes les formes de deuil d'enfant.

Enfin, chaque chapitre offre des orientations d'écriture auxquelles il convient de réfléchir, que l'on choisisse ou non de consigner ses pensées par écrit.

# 3

# Au fond...
# cela ne fait pas si mal

Il y a plusieurs scénarios possibles. Soit que vous le découvriez par vous-mêmes, soit qu'on vous l'apprenne. Parfois, on vous fait asseoir, on prend votre main, on affiche une expression grave et soucieuse, mais agréable et souriante. Puis on vous dit ce que vous ne tolérez pas d'entendre, ce qui dépasse votre imagination. Cela n'arrive qu'aux autres, pourtant, c'est à vous qu'on annonce cette chose impensable qui vous a donné des cauchemars, cette chose à laquelle vous refusiez de croire. Mais voici que cette personne, ce médecin, cette infirmière, cet ami prononce des mots que vous n'entendez pas vraiment, car tout a lieu comme dans un film ou un rêve; alors, pourquoi le film, le rêve ne prennent-ils pas fin?

— Quelles sont mes options? vous entendez-vous dire; mais aucune ne vous satisfait.

Vous voulez votre bébé. Vous voulez que votre vie redevienne comme avant. Vous voulez être de nouveau une personne normale et heureuse.

Quand un malheur aussi grand vous menace d'emblée, le cerveau se referme, ne serait-ce qu'un instant. C'est le choc. Le choc nous précipite momentanément dans l'incrédulité. Il peut parfois nous projeter dans une réalité différente ou même dans un univers fantasmatique. Nous avons besoin de suspendre le réel pour survivre. Le refus est un réflexe de survie par lequel l'organisme se

donne le temps d'accumuler l'énergie et le courage dont il a besoin pour faire face aux événements. Un soupir, un «Non!» véhément, voilà sans doute comment le corps parvient à ne pas étouffer.

Il arrive que le choc ait lieu plus tard, parfois des années après. Vous croisez un enfant dans la rue, vous faites un rêve particulièrement intense, ou votre meilleure amie vous relate son accouchement avec ivresse, et tout à coup quelque chose en vous éclate, une chose que vous portiez sans pouvoir la regarder en face, une chose que vous désiriez sans pouvoir la nommer. Le refus porte de nombreux déguisements qui finissent par tomber d'eux-mêmes de plusieurs façons, si nous avons de la chance.

L'ennui est que nier peut devenir un réflexe inconscient. Ce qui nous a permis de survivre au cœur de la bataille peut devenir une tactique quotidienne, la stratégie sur laquelle nous nous rabattons pour nous sentir en sécurité, pour retrouver le confort de l'habitude. Les émotions fortes d'une relation intense vous effraient? Refermez-vous... encore une fois. Le refus commence ainsi peu à peu à nous vider de notre substance. Avec le temps, elle peut nous voler notre vie, notre santé, notre bonheur.

Un deuil sain est difficile à vivre. Mais nous devons affronter nos pertes si nous voulons les pleurer adéquatement, puis les intégrer au tissu de notre existence pour que la vie continue. Le deuil nous force à marcher sur la corde raide, à doser le refoulement et l'autoprotection, l'expression sincère de ses émotions et la complaisance dans la douleur. Ce n'est guère facile. Nous avons besoin du secours de ceux qui, parce qu'ils ont déjà vécu ce que nous traversons, peuvent nous promettre que notre souffrance prendra fin et que même si notre vie ne sera plus jamais la même, ce sera néanmoins une belle vie. Vraiment.

## UNE SOCIÉTÉ QUI REFUSE L'AFFLICTION

Il y a plusieurs années, j'ai effectué un séjour de neuf mois en Inde. Il m'arrivait parfois de rester assise pendant des heures sur les lieux de crémation situés généralement au bord d'une rivière dans la plupart des grandes villes. À la fois fascinée et horrifiée, j'observais les familles déposer la dépouille de leur être cher, enveloppée d'un simple linceul, sur le bûcher. J'écoutais leurs chants et leurs lamentations, tandis qu'on allumait la paille qui enflammait ensuite les bûches et les branchages disposés sous le corps. Au beau milieu de ce rituel funéraire, j'apercevais souvent des bandes d'enfants s'adonner à «leurs» rituels, à leurs jeux – cache-cache ou chat perché – et se faufiler en riant et en criant parmi les personnes en deuil. Nul ne semblait choqué par ce contraste, nul ne le remarquait, sauf moi. Ces enfants n'étaient pas étrangers au deuil. Dans une culture où la mort, la maladie, la vieillesse, la naissance et la guérison font partie intégrante du quotidien, ils n'étaient pas dépaysés.

Quel contraste avec notre société à nous! Je vis dans une culture qui refuse l'affliction, qui enferme les «fous», les vieux, les malades et les infirmes. Une société pour laquelle sexe, naissance et mort sont des tabous dont bien peu de gens ont le privilège d'être témoins. Une société qui me vole la moitié de ce qui fait ma vie et qui me donne parfois l'impression d'être désaxée moi aussi, car elle veut me convaincre que je serai heureuse «si j'achète ceci..., si j'utilise cela..., si je déménage là-bas..., si je regarde ceci...» ou «si je souris en ayant des pensées positives». En m'incitant à nier ma souffrance et à oublier rapidement mes pertes, elle banalise aussi mon plaisir et me le refuse.

Notre culture encourage l'accumulation des biens matériels, une attitude possessive face aux choses, aux gens et aux circonstances qui peuvent accroître notre sentiment de sécurité. Mais c'est contre nature. Dans la nature, la vie est cyclique: conception, naissance, croissance, vieillissement, mort, renouveau, renaissance. La maladie et la santé font également partie de ce processus, de même que la force et la faiblesse, la perte et le gain. Mais notre égoïsme, notre ignorance ou notre peur nous rendent sourds à ces vérités. Vous voulons désespérément croire que tout finira bien, que le bon l'emportera sur le méchant et que nous vivrons heureux jusqu'à la fin des temps. C'est sans doute vrai dans l'absolu. Mais lorsque nous subissons une perte, cet absolu nous échappe. Quand nous perdons un enfant, quelle que soit la nature de cette perte, nous souffrons. Souvent, nous ne savons plus comment agir ni vers qui nous tourner.

Je crois qu'une perte est plus douloureuse aujourd'hui qu'autrefois. Notre refus du deuil ne m'étonne guère. Nos grands-parents jouissaient sans doute d'un rapport plus organique avec la vie que nous ne connaîtrons jamais. Ils n'enfermaient pas autant la naissance et la mort sous des carapaces de protection. De nos jours, nous devons faire des efforts conscients pour rester en contact avec les choses de la vie. Il est trop facile de sombrer dans la transe collective qui nous pousse à vouloir dominer notre milieu ambiant: par exemple, à régir le chaud et le froid par l'air climatisé ou les sièges de voiture chauffants. Les médias jouent, eux aussi, un rôle dans cette conspiration contre la réalité. Ils nous renseignent juste assez pour nous donner l'impression que nous dominons les événements qui se produisent dans le monde. Ils provoquent une catharsis superficielle qui nous empêche de reconnaître notre impuissance face à la plupart de ces dynamiques.

Les gens les mieux intentionnés participent à ce refus du deuil. Ils s'efforcent de vous consoler et espèrent apaiser vos souffrances. «Pense au beau côté des choses», disent-ils. Ou «Tu pourras toujours avoir un autre enfant» ou «Pourquoi n'en adopterais-tu pas un?», comme si l'adoption pouvait guérir notre blessure. Mais la plupart du temps, nous accueillons ces remarques comme une intrusion, elles nous agacent et nous enragent. Pour la plupart, nous nous sommes souvent efforcés de voir le beau côté des choses et nous en avons ressenti une grande frustration. En outre, cette façon de penser est une forme de refus. Susan, qui a subi plusieurs fausses couches, avoue avoir littéralement dû lutter contre «ceux qui lui voulaient du bien».

— Ne me privez pas de ma détresse, leur disait-elle. J'en ai besoin pour évoluer. Elle est très importante pour moi en ce moment.

Un autre exemple de ceci nous a été offert dans le cadre du film *Star Trek V*, dans lequel un personnage intergalactique appelé «Dieu» semblait proposer à tous une existence sans douleur ni perte d'aucune sorte. Le capitaine Kirk, fidèle à lui-même, résista violemment à cette tentation de paradis et d'utopie. Dans une scène très dramatique, Kirk, au comble de la rage, refuse qu'on le prive de sa faculté de souffrir, affirme que sa souffrance lui est nécessaire, qu'il est important de ressentir de la douleur.

Les amateurs de *Star Trek V* ont approuvé le capitaine Kirk. Mais dans le quotidien, combien parmi nous seraient disposés à faire une telle déclaration? Dans notre société, nous engager de plein gré sur un sentier qui nous conduit «dans les profondeurs de l'enfer» où nous devons combattre les démons qui nous y attendent est vu comme de la folie pure. Cependant, je sais d'expérience que si nous n'affrontons pas ces «démons» en leur temps, ils nous rattrapent plus tard et qu'entre-temps le prix à payer est extrêmement élevé.

*   *   *

C'était le premier jour de la nouvelle session. Comme chaque automne depuis sept ans, je donnais un cours intitulé «Vivre son deuil». Face à moi, 40 étudiants adultes semblaient gênés et mal à l'aise ou enthousiastes et pressés de commencer. Un groupe typique, comme je pus le constater d'un bref coup d'œil: quelques jeunes dans la vingtaine; quelques personnes âgées; la plupart dans la trentaine et la quarantaine. Un homme, deux hommes... pas plus? Non. Pas plus. Trente-huit femmes et deux hommes, comme lors de chaque session depuis sept ans.

— Qui aide nos hommes à vivre leur deuil? fis-je avec tristesse quelques semaines plus tard, quand il y eut cohésion dans le groupe.

— Quoi, vous ne savez pas? dit gaiement un des hommes présents. *Les hommes* ne peuvent pas perdre.

Un silence accueillit cette intervention, puis David poursuivit, avec bonne humeur et une pointe de cynisme.

— Pour la plupart, notre vie est une histoire de gain, de victoire, de conquête: nous gagnons la faveur de quelqu'un, nous décrochons un emploi; nous conquérons une femme; nous obtenons une promotion; des enfants merveilleux nous sont donnés; nos enfants sont champions à l'école et dans les sports; nous remportons la victoire sur nos ennemis; nous gagnons... Bref, il me semble clair que les hommes ne puissent pas s'identifier à un cours intitulé «Vivre son deuil». Vous devriez sans doute en changer le titre.

Les femmes hochèrent la tête avec tristesse.

— Mon mari est comme cela, dit Rose.

Cette élégante petite femme aux cheveux gris assise au premier rang s'accrochait à chaque mot prononcé dans cette salle comme à une bouée de sauvetage.

— Je ferais n'importe quoi, poursuivit-elle, pour aider mon mari à affronter sa souffrance. Il a tant perdu: ses parents, notre fils de trente ans, et l'an dernier, sa sœur. Chaque fois il se referme un peu plus sur lui-même. J'ai peur qu'il ne parvienne plus jamais à s'ouvrir. Notre vie de couple se meurt.

Elle toussa discrètement dans son mouchoir et essuya une larme sur sa joue.

Aussitôt, l'une après l'autre, les femmes firent le récit de leur impuissance à aider leur mari, leur fils, leur père à vivre leur deuil. Bientôt, la salle se remplit d'une légion de spectres, les esprits perdus de ces hommes. Ils n'étaient pas morts, mais confus. Impuissants. Ils avaient désespérément besoin de secours, mais ignoraient comment le demander, comment l'accepter, comment s'en servir.

Chaque année, c'est la même chose.

L'émotion vraie est taboue dans notre société. C'est compréhensible: quand on ressent quelque chose on est vulnérable et, aux yeux de bon nombre de personnes, vulnérabilité égale faiblesse. Nous refusons de perdre, de sorte que, pour gagner, nous nous cuirassons contre la douleur en la refusant ou en l'oubliant, le plus souvent par une quelconque accoutumance. Nous sommes un peuple toxicomane.

L'émotion vraie nous bouleverse, défie nos projets et nos structures, nous révèle les maigres substituts de vie dont nous nous sommes contentés. Mais cette prise de conscience peut aussi être un prodigieux tremplin. Les personnes affligées parlent souvent de l'éclairement qu'elles ont reçu: elles disent comment leur souffrance a modifié leur système de valeurs, transformé leurs priorités. Leur moi s'est fragmenté, elles sont «mortes à elles-mêmes», elles ont quitté leurs ornières de sécurité pour faire un saut dans l'inconnu. Comment s'étonner que souffrir soit tabou? Selon Carl Jung, nous créons nos névroses quand nous n'accédons pas à notre vraie souffrance.

Alors qu'elle traversait une souffrance physique intense, China Galland, l'auteur de *Longing for Darkness,* parvint à une compréhension transcendante de l'affliction.

La voix qui me parvient de l'intérieur de la montagne me répète de ne pas avoir peur, me répète que le monde est amour. Nous avons le choix entre l'amour et la peur. Choisir l'amour signifie porter une montagne en soi, porter en soi le cœur même du monde; cela signifie aussi ressentir la souffrance de l'autre dans son propre corps et pleurer. Cela signifie être vulnérable à la souffrance du monde, savoir qu'elle est aussi la nôtre. On comprend alors que nous subissons la même souffrance, car rien ne nous sépare de la vie, de personne, de rien. Mais nous céderons à un certain oubli. Nous mourrons peut-être avant de recouvrer la mémoire. Encore et encore, nous oublierons ce que nous savons. N'ayez pas peur. Le corps se souvient, il n'oublie jamais. C'est votre connaissance même que vous fuyez, dont vous ignorez l'existence.

## LES FORMES DE REFUS

Au réveil, après l'opération chirurgicale qui m'avait privée de mon utérus et de mes ovaires, je ne doutais pas que quelque chose de grave s'était produit. Mais sur le coup, j'étais si soulagée de ne pas avoir de cancer que je ne songeais guère aux conséquences de cette chirurgie. Au cours des jours qui ont suivi l'opération, j'obéis aux indications du médecin et des infirmières; j'étais la patiente parfaite, docile et complaisante. Je savais qu'une hystérectomie signifiait que je ne pourrais pas avoir d'enfant mais, bon, j'étais en vie, n'est-ce pas? Ce n'était pas le moment de me plaindre.

Mes années de travail auprès des personnes en deuil m'ont beaucoup appris sur les différentes formes de refus. J'ai découvert les trois principaux moyens que nous mettons en œuvre pour nier notre deuil:

1. Nous nions les faits ou notre part de responsabilité dans ces faits.
2. Nous nions la gravité ou l'inéluctabilité des circonstances.
3. Nous nions nos émotions.

Nous nions les faits quand, par exemple, nous feignons de ne pas voir nos symptômes et que nous refusons de consulter un médecin. Quand nous ne recourons pas à la contraception, nous refusons de prendre la responsabilité d'une éventuelle grossesse. Même des hommes et des femmes adultes, qui devraient être au courant, perdent parfois tout sens des réalités en matière de sexualité et de grossesse. Ils proféreront avec surprise des remarques telles que: «Je ne suis jamais tombée enceinte auparavant, et j'ai cru que j'étais stérile» ou encore «Nous n'avons fait l'amour qu'une fois». Il y a de nombreuses exceptions, bien entendu, mais le nombre incalculable de grossesses non désirées et d'avortements témoigne de ce refus généralisé de nos responsabilités d'adultes. Nous refusons d'accepter les réalités de l'existence que s'appliquent aussi à nous. Mis devant les faits, nous les chassons aussitôt du revers de la main: «J'ai cru que si je continuais de travailler comme si de rien n'était, cela disparaîtrait», dit une femme après avoir constaté qu'elle était enceinte quand ses menstruations s'étaient interrompues.

Nous nions parfois les faits en feignant que rien ne s'est produit. Généralement, cette approche prend fin dès que les symptômes physiques s'imposent: le corps de la femme se transforme, l'enfant est de plus en plus malade, les saignements s'intensifient. Le plus souvent, le refus est plus profondément ancré; c'est celui qui nous pousse à nier la gravité ou l'inéluctabilité des faits. Quand un homme apprend à sa femme qu'il a subi une vasectomie sans la consulter (comme ce fut le cas d'une femme que nous avons interviewée), il s'agit d'une forme de refus.

Quand un homme exige que sa femme subisse un avortement, puis la laisse se débrouiller seule, c'est aussi une forme de refus. Jean, quarante-quatre ans, qui assistait à mon cours, nous dit:

> Quand j'ai su que ma femme était enceinte, je n'ai rien ressenti. J'étais assez insensible à l'époque. J'avais vingt-quatre ans et j'étais très centré sur ma personne. J'ai insisté pour qu'elle se fasse avorter. Je l'y ai obligée, en fait, sans me préoccuper de ce qu'elle pouvait ressentir. Comme je fuyais mes propres sentiments, je ne pouvais pas davantage com-

prendre ceux de ma femme ou de qui que ce soit d'autre. J'étais une machine. Elle n'a jamais plus été la même par la suite. Ma colère et mon agressivité l'ont brisée. Elle ne voulait pas de cet avortement. Je le savais, mais j'étais incapable de l'admettre. C'était une très belle femme.

Depuis, je suis rongé par le remords.

Carole a, elle aussi, éprouvé du remords:

Quand j'ai quitté le père de Ginette, cela ne s'est pas fait «proprement». Il avait assisté à l'accouchement; un lien très fort s'était noué entre lui et notre fille dès leur premier contact. Comme nous travaillions à la maison, il était constamment avec elle. Il l'adorait et elle l'adorait aussi. Je n'ai pas tenu compte de cela quand je me suis enfuie. Dans l'avion qui nous emportait vers une nouvelle vie en Oregon, ma fille, âgée de sept mois à peine, s'est dressée sur son siège, puis elle a regardé par le hublot en criant: «Non!» C'est alors que j'ai pris conscience de mes actes, mais cela n'a pas duré. Au cours des années qui ont suivi, j'ai dû travailler sans cesse à retirer une par une les couches de refus dont j'avais recouvert ma fille, son père et moi-même.

La forme la plus courante de refus consiste à nier délibérément ou à se révéler incapable de ressentir les émotions qui accompagnent une perte.

— Il faut se permettre de ressentir des émotions et non pas repousser ce qui se produit, dit Michelle, en parlant de son divorce et de son fils toxicomane.

— C'est très difficile, mais c'est mieux que d'être des morts vivants. Pendant des années, j'ai cru que mon mari et moi avions été de bons parents. Mais c'était faux. Quand j'ai fini par comprendre à quel point nous avions été confus, j'ai eu beaucoup de mal à l'admettre. Je suis certaine que j'avais peur de me sentir encore plus coupable. Mais j'ai dû regarder la vérité en face. J'ai dû me permettre d'être en colère, de pleurer, d'avoir peur aussi, avant de pouvoir éprouver un sentiment de courage et d'espoir. Maintenant, toutes ces émotions me servent.

## CE QU'IL EN COÛTE DE NE PAS PLEURER

Il est ahurissant de constater le prix que nous avons dû payer en tant qu'individus, en tant que société et en tant que regroupement humain pour notre inaptitude ou notre refus d'affronter le deuil, de composer avec lui et de le résoudre en présence de nos enfants. Le psychologue et auteur renommé Erich Fromm affirme que notre inaptitude à pleurer nos pertes est à l'origine de la recrudescence de la violence dans notre société.

Pour plusieurs hommes et femmes dont l'histoire est reproduite ici, la douleur refoulée ne s'exprime pas par une attitude de violence envers la société, mais plutôt envers soi-même, sous forme de maladie, d'habitudes destructrices, de méfiance dans les relations et de piètre estime de soi.

Le stress du deuil non résolu prive la vie de ses couleurs.

— Fade et ennuyeuse comme la pluie, dit une femme.

À l'âge de vingt ans, Andréa avait confié son enfant à l'adoption et elle portait encore, à cinquante ans, le fardeau de sa honte et de sa culpabilité.

— J'ai beaucoup de mal à établir une relation stable avec un homme et je me méfie des autres femmes, dit-elle tristement.

Je notai ses cheveux ternes et sa robe qui la faisaient paraître de vingt ans plus âgée.

Robert, qui avait perdu la garde de ses trois fils, avait, lui aussi, un comportement destructeur quoique différent. Jusqu'à tout récemment, il croyait devoir porter tout seul la croix de l'échec de ses mariages.

— J'étais incapable d'en parler, surtout à d'autres hommes, fit-il en sanglotant lors de son émouvant entretien avec Susan et moi.

Maintenant dans la quarantaine, Robert a eu une série d'aventures amoureuses qui n'ont duré que quelques mois. Il reconnaît avoir perdu des années de sa vie à reproduire le même scénario de refus et d'irresponsabilité. Il a également eu plusieurs accidents graves.

Mes années d'expérience dans le domaine de la santé holiste m'ont convaincue que la maladie n'a jamais une cause unique. Au contraire, la maladie (accidents et problèmes émotionnels tout autant que malaises physiques) a des causes multiples. Le cerveau, le corps, l'esprit, les émotions, l'hérédité, l'environnement, peut-être même les configurations astrologiques déterminent qui tombera malade et quand. Quoi qu'il en soit, je suis d'avis que notre refus de pleurer nos pertes constitue un stress supplémentaire qui affaiblit le système immunitaire et nous prédispose davantage aux maladies, aux blessures et à la dépression. J'ai pu observer que les gens provoquent souvent eux-mêmes leur maladie, leur faiblesse et leurs échecs de façon à se sentir aussi mal en point physiquement que psychiquement et émotionnellement. Quand cela se produit, ils en éprouvent secrètement un vaste soulagement puisque, en effet, leur souffrance intolérable et non identifiable a enfin trouvé une cause. Pour beaucoup, la maladie et les accidents constituent une forme de châtiment continu pour le «crime» dont ils s'estiment coupables, ainsi qu'un moyen d'oublier leur bonté fondamentale.

Les ouvrages traitant de codépendance, de toxicomanie, de violence sexuelle, ainsi que d'autres traumatismes de l'enfance, regorgent de cas similaires. Quand nous ne pleurons pas directement nos pertes, nous élaborons un nombre infini de stratégies malsaines et efficaces à court terme; elles dissipent notre colère, nos peurs et la tristesse qui nous ronge ou elles nous en distraient. Certains individus développent une dépendance à l'alcool, au tabac ou à la nourriture, bref à ce qui endort la conscience, nous fait oublier et nous procure un faux sentiment de sécurité. Je peux très bien m'identifier à la notion de dépendance au plaisir ou à l'adrénaline (que j'aime qualifier de dépendance au drame). J'ai souvent provoqué des circonstances dont l'intensité était directement proportionnelle à mon besoin de m'abandonner à ma douleur.

Il est navrant de constater qu'une relation amoureuse naguère solide s'effondre quand l'un des partenaires ou les deux se révèlent incapables d'admettre ou de composer avec leur deuil ou celui de l'autre personne. C'est encore plus accablant quand on épanche les symptômes de ce refoulement (colère, confusion, terreur obsessive) sur les enfants.

À trente-six ans, Barbara était parvenue, sans chirurgie, à vaincre une tumeur précancéreuse à l'utérus. En l'interrogeant sur l'impression de désaffection qu'elle éprouvait souvent à l'égard de ses enfants, nous avons voulu explorer le lien existant entre ce sentiment de perte et son état de santé précédent. Barbara nous parla de son travail de deuil qui consistait en partie à dire et à redire l'histoire de ses pertes personnelles. Barbara pleurait souvent, chose qu'elle n'avait pu faire jusqu'à tout récemment. Elle riait aussi plus souvent, avoua-t-elle. De toute évidence, en se fermant à la douleur intense elle s'était aussi fermée à la joie. Quand elle eut trouvé le courage de regarder ses blessures en face, Barbara trouva aussi le courage de constater ses dons. Lee Lozowick, un maître spirituel, disait ce qui suit à propos de la nécessité d'assumer sa souffrance: «Pour vivre pleinement les grands moments de bonheur, il faut vivre pleinement les grands moments de malheur. Notre aptitude au bonheur se mesure à notre aptitude à la souffrance.»

## L'histoire de Marie

L'histoire de Marie, que nous présentons ici dans le détail comme elle nous l'a racontée, comporte de nombreux exemples de refus. Mais son histoire est beaucoup plus qu'un éventail d'exemples. L'histoire de Marie rend compte de la souffrance d'une jeune femme et du courage dont elle a fait preuve en effectuant le meilleur choix possible pour son bien et pour celui de son enfant.

> Quand nous optons pour l'adoption, nous devons affronter de très fortes oppositions ainsi que des archétypes culpabilisants. Au Moyen Âge, une femme qui refusait d'élever une famille était accusée de sorcellerie. Comment s'étonner que nous soyons si difficilement sereines devant pareille décision?
>
> J'ai quitté le toit familial à dix-huit ans pour étudier les beaux-arts en Angleterre. Je ne connaissais pas grand-chose au sexe et mon ignorance me gênait. (Ma mère m'avait dit que les enfants venaient au monde parce que les gens se

mariaient.) Mais je désirais être aimée, de sorte que bientôt j'eus un petit ami et celui-ci emménagea avec moi. Quand je me procurai des contraceptifs dans une clinique londonienne, mes menstruations s'étaient déjà interrompues: j'étais enceinte.

Pendant des mois, j'ai nié ma grossesse. Telle était l'étendue de ma naïveté. J'estimais que j'étais une femme intelligente, mais je me figurais que «quelque chose arriverait» pour m'empêcher d'avoir à affronter cela. Je croyais que je m'éveillerais un bon matin et que mon cauchemar aurait pris fin. Quand j'ai enfin regardé les choses en face, j'étais enceinte de quatre mois. Une amie d'université m'avait donné des pilules abortives, mais elles m'ont tout simplement rendue malade. Quand j'ai consulté un médecin, il était déjà trop tard pour subir un avortement.

Ce médecin sut m'encourager.

— Les bébés ne sont pas si compliqués qu'on le prétend, dit-il.

J'avais tellement besoin d'attention, et ses paroles étaient le premier soutien moral qu'on m'accordait depuis le début de ma grossesse, alors je fus carrément heureuse à l'idée d'être mère. Je m'étais jusque-là sentie si seule, si loin de ma famille. Mais à ce moment-là, et de temps à autre tout au long de ma grossesse, j'eus l'impression que les choses se passaient telles qu'elles devaient se passer. Cette vie qui prenait forme en moi me portait à croire que même ma douleur intolérable pouvait engendrer quelque chose de bon.

Je me doutais bien que mon petit ami n'accepterait pas ma grossesse. J'avais raison. Quand je lui fis savoir que je portais son enfant, il devint furieux, me frappa au visage et jura que l'enfant ne verrait jamais le jour. (Quel réflexe de négation!) Il a toujours appelé le bébé: «ça».

Ensuite, les choses ont empiré. J'avais vingt ans, j'étais torturée par la culpabilité et je manquais de maturité pour affronter ce qui se passait. J'avais la plupart du temps l'impression que tout ce que j'entreprenais était voué à l'échec. Quelles que soient les décisions que j'aie à prendre, c'était l'impasse.

Je me suis tournée vers ma mère. Je suis rentrée aux États-Unis. Mais le choc fut tel pour elle que j'en fus encore plus humiliée. Ma mère s'efforça de me convaincre de faire adopter mon bébé. Un jour elle me dit, furieuse: «Nous ne sommes pas des montagnards des Appalaches», ce qui signifiait que j'étais une ordure, et qu'elle ne souhaitait pas que ses amies le sachent. Je me suis sentie très seule dans ce milieu et j'ai décidé de retourner en Angleterre.

Heureusement, l'Angleterre possédait à cette époque d'excellents services sociaux, et l'on prit bien soin de moi. Je me souviens encore de ma travailleuse sociale, une femme très bonne qui était toujours là pour moi. Elle me poussa à m'occuper de moi, car je me négligeais et j'estimais être victime des circonstances. Je n'avais pas d'amis intimes, personne qui puisse m'aider. Ce fut une période très difficile dont le souvenir m'est pénible encore aujourd'hui. Inutile de dire que je ne suis pas retournée avec mon petit ami.

Mon bébé, une fille, naquit à la fin de juin. Ce fut un accouchement provoqué et rapide. J'ai appelé ma fille Lili.

Je voulais être mère tout en poursuivant mes études. J'ai gardé ma fille sept mois. Mais c'était très difficile, et plus le temps passait, plus j'étais désespérée. Le fait d'avoir un enfant me prouvait que je ne valais pas grand-chose. Je m'en étais toujours douté, mais la naissance de Lili fut le réel déclencheur. J'étais convaincue d'avoir fait quelque chose de mal et qu'en raison de mon égoïsme et de mon refus de me sacrifier j'infligeais ce mauvais sort à quelqu'un d'autre. J'ai compris que Lili n'avait aucune chance si elle restait avec moi. Je m'enfonçais pour la troisième fois, et il n'était pas question qu'elle s'enfonce avec moi.

Les services sociaux n'avaient jamais fermé la porte à l'éventualité de l'adoption. J'ai donc téléphoné à ma travailleuse sociale pour lui dire qu'il était préférable, selon moi, que ma fille soit adoptée. Je savais que je prenais la bonne décision. Mais c'était si difficile... J'ai beaucoup pleuré.

Je lui avais tricoté un ourson qu'elle aimait beaucoup. Quand elle est partie par un soir glacial de janvier, elle a emporté son ourson. J'ai longtemps été en état de choc par la suite. Je ne ressentais plus rien.

Quelques semaines plus tard, la travailleuse sociale m'a remis des photos de ma fille. Elle semblait très heureuse. Je ne l'ai plus revue.

Mais pour moi, ce n'était pas encore fini. Peu de temps après, j'ai commencé à faire des dépressions. Le médecin m'a prescrit du Valium et du Librium. Je n'étais plus en mesure d'affronter la situation. Il m'a conseillé une cure de repos à l'hôpital psychiatrique. J'étais si perdue que j'ai accepté. Mais ce séjour a mal tourné. J'ai vraiment touché le fond. Je suis restée à l'hôpital un week-end seulement, mais plusieurs fois, j'ai voulu rentrer chez moi et on refusait de me laisser partir. Je ne pouvais pas sortir tant que mon médecin n'était pas rentré de vacances. Ç'a été épouvantable. Le personnel traitait tous les patients de la même façon: comme des dégénérés. J'ai décidé sur-le-champ que peu importe mon état, je ne répéterais jamais plus une telle expérience.

Je me suis beaucoup punie pour ce qui est arrivé. Ma colère s'exprimait par de la violence envers moi-même: abus de nourriture, désengagement, haine de mon corps; je me dépréciais, m'estimais irresponsable, peu digne de confiance, méprisable. C'était mon étendard. J'ai systématiquement fui toute bonne relation. Je n'avais pas ce qu'il fallait pour la faire durer.

J'ai tant nié mes sentiments que ce refus en est venu à faire partie de ma vie. Bien entendu, mes parents ne m'en ont jamais parlé. Ils font comme si rien de tout cela ne s'était produit. Ils nient tout jusqu'à ce que la situation devienne désespérée.

J'imagine que c'est ce que j'ai fait, moi aussi.

## Le deuil de Marie

Marie poursuit en relatant son travail de deuil, qui a duré plusieurs années.

Je n'ai pas eu d'autre enfant. C'est encore une question difficile pour moi. D'une part, je voulais être entourée d'enfants. J'ai même dirigé des troupes de théâtre et enseigné pendant plusieurs années pour pouvoir être près d'eux. D'autre part, j'étais bouleversée quand des femmes de mon entourage avaient des enfants. Je ne savais pas comment me comporter en leur présence. J'avais très mal et je ne parvenais pas à guérir. C'est ce qui m'a poussée à entreprendre une thérapie.

J'avais tellement honte. Pas seulement d'avoir eu un bébé, mais de tout ce que j'avais fait de ma vie. J'ai su qu'au début du deuil, tout est compliqué, chaotique. Ma vie était un embrouillamini accablant de douleur qui aurait bientôt raison de moi. Mais avec le soutien d'un guide et l'aide de quelques bons amis, j'ai appris à séparer mes propres sentiments de ceux qui m'avaient été inculqués par d'autres: par mes parents, par la société ou que sais-je.

Auparavant, ma souffrance avait été trop lourde; je m'en étais isolée par un mur de refus. La thérapie m'a montré que la douleur persiste tant qu'on n'est pas parvenu à creuser une brèche dans cette muraille de protection, car les souvenirs sont profondément gravés dans notre corps. La seule façon de nous en libérer consiste à en faire le deuil en les revivant. Pour guérir, il faut beaucoup plus qu'affronter sa douleur. Il faut beaucoup plus que devenir fonctionnel et aimable. Il faut réapprendre à ressentir.

Tant de fois au cours de ces années, je me suis sentie dépassée par la vie, par mes sentiments. Mais j'ai appris que nous sommes très déroutés quand notre affliction et nos pertes dépassent nos capacités. Chacun peut affronter ses pertes personnelles, mais c'est trop demander qu'il porte aussi celles de ses parents ou de tout autre membre de la famille qui persiste dans son refus. Je ne crains plus de m'enfoncer dans ce puits d'agonie où j'ai vécu pendant vingt-cinq ans. J'ai appris à séparer mon affliction et la responsabilité de ma vie de la tristesse que j'éprouve à ne pouvoir «sauver» ma mère, qui ne ressentait rien, ou mon père, qui était schizophrène.

Nous ne sommes pas responsables de ce qui nous a été infligé quand nous étions petits. J'ai renoncé à élever ma fille parce que je me sentais incapable d'être une bonne mère. Je n'avais aucun modèle. J'ai dû faire mon deuil de cela aussi.

Mes progrès sont très encourageants. J'apprécie la présence des enfants autour de moi. J'ai repris possession de la mère qui n'a jamais cessé d'exister en moi.

L'entretien avait été long. Marie s'appuyait au dossier de sa chaise, elle paraissait épuisée mais satisfaite et elle respirait profondément. Elle nous avait donné tant de matière que j'osai lui poser deux dernières questions. Quel conseil offrirait-elle à une femme placée dans la même situation qu'elle? Que dirait-elle à une personne qui pleure l'absence d'un enfant qu'elle n'a jamais vraiment connu? Marie répondit avec courage et conviction.

Dites-vous qu'aucune de vos décisions ne vous marque au fer; aucune n'est indélébile. J'ai cru que ma vie était terminée. Mais c'est en détruisant tous mes réflexes de négation, petit à petit, que j'ai compris que je pouvais la dominer. Respecter toutes vos décisions. Personne ne peut les prendre pour vous.

Vous ne devez pas non plus vous attendre à un changement d'attitude et à une compréhension immédiates. Je me suis agrippée pendant vingt-cinq ans à la certitude qu'une relation stable n'en valait pas la peine. Mon refus était emporté par son élan. Le temps, alors, ne compte pas. Une blessure est une blessure. Elle ne disparaît pas tant que vous ne vous enfoncez pas en elle pour la guérir. C'est en devenant conscient qu'on permet aux choses d'évoluer et de se transformer. Plus j'ai fait cela, plus j'ai pu ressentir pour moi-même une certaine compassion et ne plus m'adresser de reproches ni m'en vouloir d'avoir pris cette décision. J'en ai développé un sentiment de fierté et de respect de moi-même.

Si vous songez à entrer en contact avec votre fils ou votre fille, vous serez plus fort si vous avez d'abord atteint un équilibre intérieur. Plus vous aurez su vous accepter, plus vous serez en mesure d'accueillir votre enfant comme un ami. Ce sera le début d'une toute nouvelle relation. D'autre part, il peut être déplaisant ou difficile pour certaines personnes de faire la connaissance de cet inconnu qui fut un jour votre enfant. Vous devez vous sentir assez forte pour supporter la situation, quelle qu'elle soit. Mais cela ne veut pas dire que vous deviez être «en parfait état» avant de renouer le contact avec votre enfant, tout comme vous ne pouvez pas avoir la science infuse en matière d'éducation des enfants avant d'en avoir.

Vous êtes toujours un père ou une mère, c'est un fait. Que l'enfant soit ou non présent dans votre vie n'y change rien. De nombreuses personnes refusent d'admettre cela. Elles restent prisonnières de leur refus, de leur irresponsabilité et de leur immaturité. C'est très revalorisant de se réveiller tous les matins et de se dire: «J'ai un enfant.»

## PRENDRE SOIN DE SOI QUAND ON VIT SON DEUIL

Pensez-y bien: vous devrez vous dorloter comme une mère pendant que vous vivrez votre deuil. Certaines d'entre vous trouveront cela difficile, car elles n'ont jamais été dorlotées par leur propre mère. L'affliction désorganise une vie et nous pousse à négliger ces petites attentions et ces routines qui nous assurent une bonne énergie et une bonne santé.

C'est compréhensible. Il faut beaucoup d'effort pour simplement survivre quand on souffre. À bien des égards, une bonne partie du deuil consiste à survivre assez longtemps pour que la douleur s'atténue, assez longtemps pour qu'on vous porte secours. Il ne vous reste plus beaucoup de force pour les soins quotidiens, encore moins pour vous dorloter.

Il se peut que vous soyez particulièrement confuse, triste, apeurée ou simplement furieuse. En pleurant le deuil d'un enfant ou d'une relation avec un enfant, vous revivez certains moments de votre propre enfance de même que des sentiments qui vous ont assaillie au moment de cette perte sans que vous puissiez les exprimer sur le coup. Ils se rapportent peut-être à vous (par exemple, vous croyez avoir commis une grave erreur), ou encore ils concernent vos parents, votre famille, un système, une institution, une communauté de fidèles ou Dieu. Mais si vous ne pouvez pas exprimer ces sentiments avec clarté, vous en viendrez à vous punir vousmêmes, soit en vous négligeant, soit en cédant à tous vos caprices. Quand nous pleurons la perte d'un enfant, nous ne devons pas perdre de vue que l'enfant en nous a besoin de soins particuliers.

Un deuil douloureux risque de nous faire céder de nouveau à nos anciennes dépendances. La tentation est toujours vive de soulager temporairement notre peine. Alors, nous buvons, nous fumons, nous mangeons. Cela nous procure un certain secours... provisoirement. Un verre de vin, un somnifère, du chocolat peuvent atténuer une douleur trop lourde à supporter. Mais si nous en abusons, nous accroissons nos problèmes à long terme.

Le deuil affecte le système immunitaire en ralentissant les activités des lymphocytes, c'est-à-dire des globules blancs qui combattent les bactéries et les autres sources d'infection. En 1983, une recherche effectuée à l'école de médecine de l'hôpital Mount Sinai a démontré que les lymphocytes des hommes dont l'épouse était décédée d'un cancer du sein montraient un net ralentissement de leur activité et ce, pendant plusieurs mois après le décès de l'épouse[1].

Quand le corps est déjà affaibli par une perte grave, il est sage de le prémunir contre tout stress supplémentaire.

On commence à se dorloter en admettant qu'on aura sans doute besoin de plus de sommeil que d'habitude et de plus de

---

1. Blair Justice, *Who Gets Sick*, Los Angeles, Jeremy Tarcher, 1988, pp. 188-189.

repos. S'engouffrer sous les couvertures équivaut, pour plusieurs, à rentrer dans le sein maternel.

— J'ai trouvé rassurant d'obscurcir la chambre, d'empiler sur le lit toutes mes couvertures et toutes mes douillettes, et de m'enfouir dessous, dit Jacqueline en relatant une période particulièrement difficile de sa vie. «Je me disais que je m'absentais pendant quelque temps, ou que je resterais là jusqu'à ce que je sois assez forte pour sortir.»

Mettre sa vie en suspens pendant quelques heures peut être salutaire. Une sieste l'après-midi, un jour ou deux au lit, rassurent votre corps sur votre aptitude à prendre soin de lui sans qu'il doive tomber gravement malade pour attirer votre attention.

La nourriture peut aussi vous être d'un précieux secours. Des plats qui réconfortent autant qu'ils nourrissent, telles que de bonnes soupes, sont appréciables. Soyez sensible à vos envies. Vous constaterez sans doute que vous avez faim de quelque chose qui vous rappelle votre enfance: chocolat chaud, purée de pommes de terre ou un autre de vos plats favoris. Accordez-vous ces caprices de temps à autre: ils ont une grande valeur thérapeutique. En même temps, renforcez votre alimentation par quelques suppléments vitaminiques et minéraux. Il existe de nombreuses tisanes pour calmer les nerfs sensibles. (Consultez la bibliographie pour des ouvrages sur les plantes qui guérissent.)

Pour savoir comment vous dorloter, pensez à la façon dont les parents veillent sur la santé de leurs enfants. N'oubliez pas que les choses les plus simples et les plus évidentes, tels que le soleil et l'air frais, sont autant nécessaires aux adultes qu'aux enfants.

— Allez jouer dehors un peu!

Voilà ce que disent tant de mères en emmitouflant leurs enfants dans des habits de neige, des cache-nez et des moufles. Même si le temps est froid, il est bon de sortir, de faire une promenade. En plus du fait que le soleil et l'air frais sont vraiment thérapeutiques, le fait de voir un plus grand pan de ciel peut nous remonter le moral.

Une mère étreint son enfant, l'apaise en le caressant, en lui donnant la chaleur et la sécurité d'un contact physique. En période de deuil, vous avez sans doute encore plus besoin d'être touché, mais vous avez peut-être un peu honte de ce besoin. Si personne n'est là pour vous procurer le contact physique dont vous avez besoin, vous devez vous le procurer vous-mêmes de différentes façons. De plus en plus d'adultes avouent trouver un réconfort à étreindre un gros ours en peluche. Pourquoi ne pas essayer? Vous pouvez aussi simplement vous étendre sur votre lit, prendre place dans une berceuse ou sur le divan et vous bercer en vous entourant de vos propres bras. Dites tout bas des phrases rassurantes à votre enfant intérieur pour l'aider à guérir: «Tu es le bienvenu.» «Je ne te quitterai pas.» «Tu fais ton possible.» Rappelez-vous aussi que vous pouvez vous faire donner un massage. Un massage est un bienfait précieux quand on a besoin de contact physique, qu'on se sent seul, vide, sans force. (Consulter le chapitre 10 pour d'autres façons d'améliorer votre bien-être physique.)

### Votre journal intime

1. Concernant le bien-être: Qu'est-ce qui vous dorloterait en ce moment? Énumérez 10 choses qui vous procurent un sentiment de bien-être. Promettez-vous-en une pour chaque jour de la semaine prochaine.

2. Concernant le refus: Il est souvent difficile, voire impossible, de prendre conscience de nos propres réflexes de refus. Il est plus facile de déceler les réflexes de refus de quelqu'un d'autre avant de prendre conscience des siens. Réfléchissez par écrit à ce qui suit: Comment, selon vous, votre conjoint ou votre meilleur ami «se leurre-t-il»? En d'autres termes, y a-t-il des sujets qu'il refuse d'aborder ou de connaître? Se permet-il d'exprimer des émotions telles que la colère, la peur, la tristesse, la confusion?

   Réfléchissez par écrit aux circonstances qui démontrent que votre mère a refusé ou refuse encore sa douleur ou son deuil. Réfléchissez aux réflexes de refus de votre père, de vos enfants, de votre église ou de votre communauté de fidèles, de votre employeur ou de vos employés, et même des citoyens du pays et de la société en général. Écrivez autant que vous le désirez sur ces sujets, puis relisez-vous quand vous aurez terminé. Demandez-vous si vous possédez les mêmes réflexes que ces individus ou ces groupes. Écrivez là-dessus également.

3. Quand vous aurez fini de réfléchir par écrit, résumez ce que vous avez retenu de votre réflexion en complétant la phrase suivante: «Ces exercices m'ont fait prendre conscience de...»

# 4

# Est-ce que je perds la raison?

*Ils me manquent, André et Émilie,*
*Le soleil dans leurs yeux*
*Leur visage levé vers moi.*
*Leur sourire.*
*Leurs petits souliers.*
*Leurs vêtements éparpillés dans la maison*
*Et leurs jouets*
*Et les restes du petit déjeuner*
*Recouverts d'une assiette*
*Au fond du réfrigérateur.*
*Mais surtout me manquent leur amour,*
*Leurs étreintes*
*Et le besoin qu'ils ont de moi.*

ROBERT T.

Ce poème fait partie des réflexions écrites de Robert à la suite de la perte de la garde de ses deux enfants. Il révèle la tristesse d'un homme qui se voit forcé de trouver un autre sens au mot *père*. Il pleure l'absence de ses enfants dans leurs mille petits gestes quotidiens. Il a envie de leurs caresses, dont il se souvient sans doute plus vivement maintenant que lorsqu'ils étaient auprès de lui. Il pleure sur son sort, il se demande qui il est depuis qu'ils sont partis. Il est en colère. Il a peur. Il est

confus. Et une très grande tristesse recouvre tout cela comme une brume froide.

Jeannine ressent la même tristesse. Quand elle a su qu'elle était enceinte, pendant des semaines elle a bercé son bébé en imagination. Elle aimait entendre dire qu'elle «attendait un bébé». Elle rêvait depuis longtemps de cette grossesse. Mais une fausse couche a transformé son rêve en un cauchemar qui l'a précipitée dans un puits de dépression et de haine de soi-même. Elle combat sans cesse une voix intérieure lui répétant qu'elle est «damnée». Elle appréhende en secret de ne jamais pouvoir devenir mère, du moins pas comme elle l'avait espéré. Parfois, elle se révolte: «C'est injuste!»

Robert et Jeannine sont tous les deux affligés par un deuil. Plus que la tristesse – à laquelle on pense pour décrire l'émotion associée à une perte –, l'affliction n'est pas une émotion unique, mais un éventail complexe de réactions qui colore l'univers des personnes en deuil et qui affecte tous les aspects de leur vie.

## L'AFFLICTION

La perte d'un enfant ou d'une relation avec un enfant est une perte d'une nature particulière. Mais la façon dont une telle perte affecte le corps et l'esprit est commune et prévisible. Quand nous pleurons une perte, nous sommes parfois confus, dépressifs, souvent malades, nous perdons l'appétit, nous devenons tristes à l'extrême ou mal à l'aise quand nous apercevons un couple heureux, une famille unie ou un enfant de l'âge de celui que nous avons perdu.

Nous nous surprenons à dire ou à faire des choses que nous ne ferions jamais d'habitude: critiquer les autres, blasphémer, boire, en vouloir aux autres ou à Dieu, ou les haïr. Une femme dit avoir envie de sortir de sa peau, avoir désespérément besoin d'amitié tout en ayant peur d'appeler au secours. Certains d'entre nous pleurent pour rien, d'autres rient à des moments inopportuns. Notre mariage se fragilise, nos autres enfants adoptent un comportement douteux et, pour la première fois, nous envisageons le suicide.

Malheureusement, nous ne savons pas nommer ce que nous traversons par son nom: «affliction». Nous croyons plutôt que nous sommes en train de devenir fous. Apparemment, les autres – tous les autres, sauf nous – parviennent à conserver leur équilibre, à être heureux. De sorte que nous sommes persuadés que quelque chose ne va pas dans notre secteur de la galaxie. C'est douloureux. C'est pénible.

Jeannette, qui participait à mes cours sur le deuil, avait été amenée au bord de la folie par une succession de pertes. Elle décrivit sa situation par écrit et me fit lire son texte.

Au cours d'une période de deux ans et demi, j'ai eu un avortement, j'ai perdu un emploi intéressant en raison d'une grossesse à risque, j'ai aussi perdu mon mari (qui m'a quittée), et ma fille aînée s'est mise à faire des fugues à répétition. Vers la fin de cette année-là, j'ai eu l'impression de devenir folle; je me sentais isolée du reste du monde comme si j'avais commis un crime horrible. J'ai aussi dû aller en cour pour un jugement de droit de garde. Trois inconnus me jugeaient et décidaient du sort de mon enfant de deux ans. Personne ne m'a jamais dit, pas même les trois inconnus qui étaient censés être des professionnels, que la souffrance que j'endurais, que toutes les émotions qui me tourmentaient étaient des indices du deuil que je devais vivre.

Personne ne m'a interrogée sur les pertes que j'avais subies au cours de l'année précédente, sans parler des pertes que j'avais subies dans mon enfance. Personne ne m'a dit: «Jeannette, ce que tu ressens, ce que tu vis, est parfaitement normal. Tu es en deuil, tu n'es pas "anormale". Ce que tu as perdu, la souffrance que ces pertes t'infligent, vont te transformer et transformer ta vie. Tu es un être humain. Sois gentille et patiente avec toi-même et accorde-toi le privilège de vivre ton deuil.» Pourquoi ne m'a-t-on pas dit tout cela?

On pleure une perte quand quelque chose ou quelqu'un nous a été arraché. C'est normal d'avoir mal, même si nous «n'avons perdu qu'un rêve» ou un espoir. Peu importe. Quand nos espoirs et nos attentes sont détruits, même temporairement, nous souffrons.

Toute perte lève le voile sur des souffrances accumulées, parfois même sur les souffrances de toute une vie. Prenez conscience du fait que les émotions fortes et étranges seront désormais la règle. Il est normal de pleurer, d'être en colère, triste et confus, normal d'avoir besoin que quelque chose, n'importe quoi, apaise notre souffrance. Il est normal, aussi, d'éprouver de la culpabilité, de la honte, du remords, et de vouloir à tout prix retracer nos pas et tout refaire en mieux. Les personnes en deuil, qu'elles avouent ou non être en deuil, ressassent leur perte en s'efforçant de la justifier: «Où ai-je fait fausse route?» ou «Que se serait-il passé si...?» Il est normal, enfin, de ne rien ressentir du tout, ce qui est parfois encore plus terrifiant.

Le deuil vous fait peur, car de nombreux comportements que vous aviez jusque-là jugés «bizarres» en viennent à faire partie de votre quotidien. Qui peut croire qu'un homme ou une femme adulte devienne incapable de prendre la moindre décision au point d'éclater en sanglots au supermarché? Pourtant, de tels incidents et des tas d'autres comportements «bizarres» sont matière courante.

Le deuil affecte notre rendement professionnel, notre aptitude à goûter les plaisirs de la vie et de l'amitié, nos finances, le sens que nous donnons à notre existence, bref, tout. Et c'est précisément pour cette raison que le deuil peut nous faire évoluer.

Le deuil est cumulatif. C'est-à-dire que le deuil dont vous faites aujourd'hui l'expérience en raison de la perte d'un enfant n'est pas seulement la conséquence de circonstances immédiates. Toutes les pertes que vous avez subies auparavant, surtout celles que vous avez subies dans votre enfance ou toute autre perte concernant un enfant, remonteront à la surface à mesure que vous vivrez celle du moment. Cela aura pour effet de rendre encore plus pénible votre deuil actuel. En même temps, chaque deuil nous procure l'occasion de guérir non seulement de notre perte actuelle, mais de toutes nos pertes passées.

Lucie, une femme d'un certain âge, nous a raconté sa vie sans enfants et certains souvenirs douloureux.

— En ce moment, je suis très triste. Je pense à mon enfance, dit-elle. Je suis triste en songeant à ma vie d'alors. À la confusion. À la malhonnêteté. À cette impression de ne pouvoir jamais me fier à mon expérience ou à mes sentiments.

Comme pour bon nombre d'autres femmes, cette tristesse personnelle a débouché sur une question plus universelle:

— Je suis triste aussi de voir le monde dans lequel doivent vivre tant d'enfants d'aujourd'hui. Pourquoi n'est-il pas possible de les voir grandir à l'abri de la violence? Comme c'est douloureux.

Ce livre traite de l'enrichissement que le deuil nous procure. Les blessures que nous occasionnent nos pertes peuvent se cicatriser sans que nous les oubliions. L'énergie que nous dépensions à nous protéger peut ensuite servir à construire la vie que nous avons désirée, qui nous a été refusée, que nous méritons. Cette énergie peut aussi servir à aider ceux qui souffrent.

## L'histoire de Robert

Le récit du divorce de Robert et de sa séparation d'avec ses enfants montre comment la vie peut tout à coup se mettre à tourner en dehors de notre volonté et nous laisser avec une impression de déracinement et d'abandon. Comme bon nombre de ses «frères», Robert a remis en question son identité d'homme depuis qu'il n'est plus père à temps plein.

> Quand ma relation avec ma femme a mal tourné, j'ai cru devenir fou. Nous allions d'un extrême à l'autre. C'était tout ou rien. Je prenais toujours la résolution de changer, en espérant que cela réglerait tout, en vain. Nous nous sommes séparés. J'ai pris un petit appartement. Elle a gardé les enfants et la maison. Quand les émotions liées à la séparation d'avec mes enfants ont commencé à bouillonner en moi, je les ai chassées de mes pensées. Je ne savais pas comment leur faire face. Je fais partie d'une grosse famille italienne. Pour nous, les Italiens, vivre signifie être avec sa famille. Bien entendu, je ne pouvais pas admettre le fait que je puisse être séparé de ma famille.
>
> Il m'était difficile, aussi, de penser que mes enfants puissent vivre auprès d'une femme que je ne connaissais pas. Qui était cette personne que j'avais épousée? Et moi, qui étais-je? Les plus petites choses, les décisions qu'elle prenait, tout cela devenait «énorme» à mes yeux. La fin du monde.

Après notre séparation, j'ai voulu m'éloigner et retrouver mes vieux copains, surtout mon frère, mais j'ai décidé de rester encore un an dans les parages pour être plus souvent avec les enfants pendant cette période de transition. Je suis content d'être resté. J'ai commencé à être assailli périodiquement par des vagues de tristesse. La vue d'un enfant dans la rue, un couple marchant la main dans la main, tous ces petits signaux suffisaient à faire déferler la souffrance sur moi. Parfois, j'avais l'impression d'étouffer. Parfois, la présence des enfants me manquait. Parfois encore, je pleurais mon rôle de père. Je comprenais que cela ne faisait plus partie de ma vie. C'était très difficile. Je devais admettre qu'être père n'était pas le seul et unique but de mon existence.

Il y a eu des moments où j'ai vraiment cru devenir fou. Le choc était trop grand. Je me rendais compte que ma vie ne reposait plus sur rien, que le pire m'était arrivé. J'étais incapable d'affronter cela. J'ai tourné en rond pendant un certain temps, miné par l'appréhension. Si souvent, je me suis dit: «Je ne peux tout simplement pas.» Mais il le fallait. On devient un peu schizo, voyez-vous; deux personnes, deux fous habitant un même corps. Cela ressemble à l'enfer. Je communiais avec des forces profondément enfouies et formatrices. C'était parfois très dur physiquement: j'avais envie de m'écorcher, de m'arracher la peau et de sortir de moi-même. Mais céder à la folie est une lâcheté, même si c'est tentant.

Je buvais et je fumais beaucoup à cette époque. Tant de fois j'ai eu l'impression de ne pas avoir d'autre choix que d'affronter ma vie ou d'allumer une autre cigarette. Affronter ma vie était intolérable. Mon tabagisme, en revanche, me rappelait que j'avais un corps; pourtant, une part de moi mourait à petit feu. Je suis devenu de plus en plus bourreau de travail d'une part, et d'autre part, je regardais la télé pendant des heures. Je faisais tout pour m'engourdir. Cela m'a été nécessaire; je ne le regrette pas. Cela m'a aidé à passer au travers. Même si j'étais violent envers moi-même d'un point de vue psychologique, cela m'a aidé à survivre.

Un choc aussi grand bouleverse tout votre univers. Rien n'est plus pareil. J'ai compris que je n'avais jamais pris ma vie en main, jamais assumé mes responsabilités. À bien des égards, j'étais encore un enfant accroché aux jupes de sa mère.

J'ai entrepris une thérapie. Le thérapeute m'a fait prendre conscience des liens qui me liaient à ma propre mère, de sorte que j'ai pu comprendre qu'elle m'étouffait en m'ignorant. Elle refusait de voir l'individu en lui imposant tout un éventail de règlements. Grâce à ce thérapeute, je me suis donné la permission de me dorloter comme ma propre mère ne l'avait jamais fait. Ce fut inestimable. Quatre mois après le début de ma thérapie, j'avais accompli des progrès considérables et je commençais à prendre ma vie en main.

## LE TRAVAIL DU DEUIL

Freud appelle ce processus le «travail du deuil». Le terme «travail» est ici on ne peut plus adéquat. Où que vous soyez sur la route de la guérison, vous savez à quel point la perte dont vous faites le deuil exige de vous des efforts.

Le deuil est un travail, car la vie est un tout. En d'autres termes, chaque jour quelque chose vient me rappeler ce qui me fait souffrir: ce que je lis, ce que je vois, ce que j'entends. Chaque fois, je ressens un pincement ou un coup de couteau qui me remémore ma blessure initiale. Chaque événement me procure une autre occasion de pleurer, de prier, d'intégrer ma perte dans le contexte global de mon existence. Je sais que rien ne sera plus jamais comme avant. J'en viens à accepter le fait que je ne peux pas récupérer le temps perdu. Peu à peu, si j'accepte de regarder ma perte en face, je recommence à espérer, à goûter un peu de ma sage innocence.

Vivre son deuil prend du temps, plus de temps que celui dont nous croyons disposer, plus de temps que nous ne voulons lui consacrer. Notre société qui nie le deuil veut nous faire croire que tout peut «se régler» rapidement. Mais quand nous pleurons la perte d'un enfant, aucun soulagement immédiat ne nous est offert. Pourtant, autour de nous, tout nous pousse à vivre comme si de rien n'était. Certaines personnes nous proposent des solutions faciles; en réalité, elles nous demandent d'aller mieux afin de ne plus les déranger. Elles ont de la peine pour nous, mais n'apprécient pas de partager notre peine.

N'oubliez pas que le travail du deuil est cyclique. Nous nous y consacrons pendant quelques mois, voire pendant toute une année, nous pensons avoir dominé notre souffrance, puis, tout à coup, quelque chose nous rappelle notre fragilité, un vieux souvenir ravive notre douleur. Ne permettez à personne de vous presser. Ne permettez pas que l'on vous tyrannise en vous assurant que vous pouvez «vous en sortir tout de suite». Il n'y a qu'une seule façon de vivre son deuil, la vôtre; un seul rythme, le vôtre. Cela signifie pleurer beaucoup, tâtonner, se tromper, trébucher en cours de route.

Je suis persuadée que les épreuves que nous subissons ne dépassent jamais notre capacité à les assumer, peu importe qu'elles nous paraissent insurmontables sur le coup. Le corps et le cerveau possèdent des mécanismes de protection qui se déclenchent en cas de surcharge. Mais nous devons aussi faire notre part en ne précipitant rien, en n'assumant pas plus de responsabilités que nous ne nous sentons capables de prendre, en ne jouant pas au martyr ni au héros. Il faut déjà une somme considérable de courage et de force pour traverser un deuil. Voilà pourquoi les amis, le soutien qu'ils nous procurent, sont inestimables. Voilà aussi pourquoi le présent ouvrage peut vous venir en aide.

Le plus difficile est parfois de ne pas savoir si la perte que nous appréhendons a eu lieu ou non. L'incertitude, la confusion, les données contradictoires, les faux espoirs, les peurs continuelles: nous devons parfois vivre cette agonie, cet enfer de l'attente.

Le deuil est prodigue de ces attentes, de ces moments sans réponse pendant lesquels nous ignorons si oui ou non le pire est arrivé. Nous attendons les résultats d'une analyse. Nous attendons le coup de fil qui nous préviendra que tout est fini. Nous attendons le matin.

Et pendant que nous attendons, nous ignorons que faire. Devrions-nous éprouver un soulagement, fêter notre libération ou bien rassembler nos forces pour entreprendre le long voyage vers la guérison? Devrions-nous continuer à prier, à espérer que ce ne soit pas encore la fin, bien que nous nous en doutions au tréfonds de nous-mêmes? Devrions-nous appeler le médecin et exiger une réponse, quelle que soit l'heure ou le manque de renseignements dont il dispose?

L'incertitude et la confusion intensifient la douleur du deuil de mille et une façons.

J'ai pu constater que nous fondons la plupart de nos décisions sur des données insuffisantes et que même lorsque nous disposons des «faits», nous comprenons qu'ils ont été réunis par des êtres humains imparfaits. Le doute teinte toujours la moindre des réponses.

Mon amie Susan a confirmé ce sentiment de révolte, cette impression de devenir folle et d'affliction profonde de ceux qui ont fait le récit de leur perte. Deux fausses couches en un an et demi l'ont forcée à entreprendre un grand travail sur elle-même, à affronter des tas de questions pénibles, à composer avec l'incertitude et le doute. C'est à l'incitation de Susan que j'ai écrit le présent ouvrage.

### L'histoire de Susan

Le récit de Susan montre que les émotions fortes et bizarres sont normales et qu'il est possible de vivre, grâce au deuil, une transformation de tout notre être, d'atteindre l'équilibre et de connaître la compassion.

> L'idée d'avoir des enfants me séduisait et me terrifiait à la fois. Une part de moi refusait cette responsabilité et l'autre aspirait à engendrer une progéniture. J'avoue que cette dichotomie continuelle me révoltait.
>
> Puis, il y a quelques années, plusieurs de mes amies ont eu des bébés. À cette époque, mon conjoint et moi essayions de concevoir. Tout à coup, je me suis rendu compte que plus

le temps passait, plus mes chances de tomber enceinte diminuaient. Je fus choquée de constater que je me plaçais en concurrence avec mes amies. Je devins de plus en plus nerveuse à l'idée de ne pas devenir enceinte.

Je fus encore plus étonnée de constater que je ressentais surtout de la honte devant cette situation. Quand je me rendais compte que je n'étais pas enceinte, j'en étais humiliée. En dépit de mes connaissances en psychologie, en dépit des années d'auto-analyse et des observations qui étaient à la base de mon évolution spirituelle, je me disais que j'étais une femme incomplète. Il arrivait même qu'en parlant à mon conjoint, j'en vienne à lui demander pardon de ne pas parvenir à être enceinte. Quand j'ai pris conscience de cette attitude, j'en ai été horrifiée. Mon comportement était exemplaire de ce patriarcat dont je m'étais tant efforcée de m'extraire.

Avec le temps, il me fut de plus en plus difficile d'accepter l'encouragement qu'on me prodiguait, et les commentaires tels que «détends-toi» qui me venaient de mon conjoint ou de mes amis ne faisaient qu'empirer les choses. Je menais une guerre émotionnelle, je tentais en vain de forcer un destin qui m'échappait complètement. Donc, j'attendais, angoissée, tandis que de mois en mois mon conjoint et moi essayions sans succès de concevoir un bébé. Rien ne me consolait. Face à ma révolte et à mon amertume, son courage silencieux et sa calme acceptation rendaient ma vie insupportable.

Je savais bien qu'au fond de tout cela, il y avait la supposition qu'un enfant pouvait résoudre tous mes problèmes, que tomber enceinte était une sorte de récompense prouvant que j'étais une vraie femme. C'est cette attitude pourtant qui me révoltait le plus, car je l'avais observée chez d'autres femmes et je savais que c'était là un espoir vain. Je savais, au fond de moi, qu'un enfant ne pouvait jamais «combler un vide» dans la vie d'une femme, qu'au contraire il pouvait le creuser encore davantage.

Le test se révéla enfin positif. J'étais enceinte. Ce fut le début de mon véritable travail sur moi-même. Je me suis souvenue des raisons de l'ambivalence de mon désir d'avoir des enfants.

Je me suis souvenue que, toute petite, je m'étais juré en secret de ne jamais avoir d'enfants. Mon père avait abusé de moi sexuellement; ainsi, le point de référence de mon enfance avait été la perte amère de mon innocence. J'avais décidé, dès lors, qu'il n'y avait aucune joie possible dans l'acte de mettre de merveilleux enfants au monde quand la vie ne pouvait leur offrir que de la souffrance. De toute évidence, je n'avais pas fini de vivre ce deuil dont je commençais tout juste à comprendre l'étendue.

Quand je fus en mesure de prendre la responsabilité de ma décision et de l'accepter pour ce qu'elle était, c'est-à-dire l'expression du désespoir d'une enfant, je fus en mesure de prendre des dispositions pour m'en affranchir. Mais panser cette blessure me rendait encore plus vulnérable à une autre blessure, parallèle à la première.

Le fait d'être enceinte éveillait ma peur et mes doutes quant à mon aptitude à être une bonne mère. J'étais bouleversée de constater comme il m'arrivait d'avoir le même comportement que mes parents. Tout ce à quoi j'avais résisté, par exemple, la discipline stricte et le manque d'affection de mon père, était en germe en moi, et je pourrais citer nombre d'exemples où ces traits se sont manifestés dans toute leur plénitude. Plus j'étais consciente de cela, plus je me sentais honteuse et confuse. Étais-je la seule mère dénaturée qui ait jamais existé? Comment une chose aussi naturelle que la grossesse, cet état que connaissent des milliards de femmes partout dans le monde, pouvait-elle être aussi dévastatrice pour moi?

Le fait d'être enceinte ne m'apportait rien de ce que j'avais désiré! Je devais dire la vérité à ce sujet avant de pouvoir vivre mon deuil. Je me sentais trahie, j'étais en colère contre une société qui exploite ces phénomènes, comme si avoir un enfant pouvait compenser le fait d'être malheureux et d'éprouver un sentiment d'inachèvement. J'étais émerveillée et heureuse d'avoir conçu et de porter un être vivant dans mon sein, mais une partie de moi persistait dans son cynisme et son incrédulité.

J'avais été victime d'inceste dans mon enfance. Ces violences répétées m'avaient fait croire que Dieu m'avait maudite ou du moins oubliée. À l'âge de cinq ans, je m'étais demandé «Comment Dieu peut-il laisser faire ça?» Devenue une femme adulte sur le point de donner naissance à mon propre enfant, j'éprouvais encore une grande amertume face à l'abus dont j'avais été victime, et cette amertume empoisonnait ma joie et le prix que j'accordais à l'acte de donner la vie. Je me voyais osciller entre le romantisme de ma grossesse et le cynisme, je me surprenais, dans ma vie quotidienne, à entretenir des idées de mort et de fausse couche et j'entendais ces mots de plus en plus souvent dans mon entourage. À la lumière de mon expérience passée, ce phénomène était prévisible: puisque j'avais finalement obtenu ma récompense, quelque chose ou quelqu'un ne manquerait pas de m'en priver. Mon conjoint m'a aidée à comprendre que je résistais au bonheur d'être mère pour exorciser d'avance la douleur d'une éventuelle perte. N'avais-je pas moi-même conseillé en ce sens certaines personnes autour de moi? Je me souvenais d'avoir dit à une amie intime qui vivait la même situation: «Nous avons peur d'être heureux parce que nous avons peur de souffrir.»

Les effets de cet encouragement ont duré quelques jours. J'étais aux anges, je me réjouissais d'accorder à mon corps la nourriture et le repos qu'il me réclamait. J'avais même presque oublié ma peur d'un malheur probable jusqu'au jour où j'ai découvert du sang dans mon urine. Cette circonstance m'a précipitée derechef dans la terreur que j'avais été si heureuse de voir se dissiper. J'ai pris panique.

— Ne crains rien, me dit une amie. J'ai un peu saigné tout au long de ma première grossesse.

— Je connais une femme, dit une autre amie, qui a saigné abondamment. Pourtant, son fils a maintenant dix-sept ans.

Ces propos me rassurèrent quelque peu pendant un court laps de temps. Mais une voix intérieure me parlait de plus en plus fort: «Je le savais. Je savais que quelque chose clocherait. Tu ne mérites pas d'être heureuse.»

Ma sage-femme a été merveilleuse. Elle ne semblait nullement inquiétée par les circonstances et me conseillait de prendre la vie au jour le jour. Nous avions calculé que j'étais enceinte de huit ou dix semaines bien qu'elle n'ait pas encore perçu les battements du cœur du bébé. Mais elle me rassura en disant que ce n'était pas forcément mauvais signe. Ainsi, de nouveau encouragée, je suis rentrée chez moi bien décidée à faire face aux événements avec calme.

Puis, une nuit que je m'étais levée pour aller aux toilettes, c'est arrivé. Quelque chose était sorti de moi avec mon sang. Une matière informe. J'ai su que je venais de perdre mon fœtus.

Ce fut un cauchemar. J'eus de violentes crampes. Dans mon délire et mes larmes, j'ai crié inlassablement «Je croyais que tu naîtrais au mois de mars! Je croyais que tu naîtrais au mois de mars!» J'étais inconsolable, on aurait dit que j'étais devenue folle. C'est à ce moment que j'ai su à quel point j'avais désiré cet enfant. L'amour que j'éprouvais pour ce petit être me possédait tout entière, et dans mes sanglots s'exprimait le deuil de toute mère pour l'enfant qu'elle a perdu.

J'étais secouée par des sentiments bouleversants, une douleur profonde mêlée à un amour dévastateur pour la vie; un attachement étonnant pour un être que je n'avais jamais connu ou touché, à qui je n'avais jamais adressé la parole. L'affliction et la tristesse me submergeaient par vagues. Elles me saisissaient, me pressaient comme une éponge. Puis tout s'apaisait et je ne ressentais plus qu'un grand vide. On aurait dit que j'étais la proie d'une force plus grande que moi à laquelle se mêlait un étrange sentiment de liberté et de paix. Je sais d'expérience et par mes conversations avec d'autres personnes qu'une telle paix accompagne notre capitulation devant ce qui est inéluctable. Le soulagement. Après avoir saigné pendant des semaines sans savoir si cette grossesse allait «tenir» ou non, j'étais soulagée que mon incertitude ait pris fin.

Le lendemain matin, cependant, l'acceptation cosmique, la grâce qui m'avaient envahie la nuit précédente avaient disparu. J'étais amère. J'étais de nouveau la proie d'émotions en dents de scie.

Les examens aux ultrasons confirmèrent ce que je savais déjà. Mon corps avait produit tout ce qu'il fallait pour nourrir un embryon, mais, comme me le dit le médecin, il était possible qu'aucun fœtus n'ait pris forme ou que, s'il y en avait eu un, il n'ait pas été viable.

Autre choc. Autre humiliation. Colère. Que mon corps n'ait rien porté dépassait mes facultés de compréhension. J'étais convaincue d'avoir senti la présence d'un être qui désirait que je le mette au monde.

— Cette torture n'aura-t-elle jamais de fin? pleurais-je.

Pourtant, les paroles du médecin m'avaient allégée d'un fardeau. Rien n'est plus terrifiant que l'inconnu.

Mes amis et ma sage-femme m'ont aidée à comprendre qu'un être avait pénétré dans mon aura sans toutefois prendre forme humaine. Bien entendu, aucun examen médical ne saurait confirmer une telle assertion. Mais il était important pour moi d'en venir à une conclusion quant au comment et au pourquoi des choses.

Puisque je choisis de ne pas subir de dilatation et de curetage (procédure courante qui consiste à retirer les tissus excédentaires de l'utérus), mon corps mit sept mois à retrouver sa forme habituelle et mes hormones à se calmer. Tout ce temps, mon deuil continuait.

— Personne ne m'avait prévenue des sautes d'humeur, me dit mon amie Judith quand elle me parla de sa propre fausse couche. Comme si la perte de l'enfant n'avait pas suffi, je devais m'efforcer de continuer à mener une vie normale pendant que mes hormones s'en donnaient à cœur joie.

J'ai ri avec elle, même si le souvenir ainsi ravivé n'avait rien d'agréable.

— C'est un miracle que mon mari et mes amis ne m'aient pas laissée tomber, dit-elle, comme si elle les en avait crus capables. «J'étais dans tous mes états.»

Je parlais régulièrement à ma sage-femme par téléphone, histoire de me consoler. C'était vraiment une «sage» femme. Elle me mit en garde contre l'incompréhension des gens de mon entourage.

— C'est normal que vous soyez blessée ou agacée par leurs conseils, ou même que ceux-ci vous mettent en colère, me dit-elle.

Combien de fois ne m'avait-on pas dit: «Ne t'en fais pas, tu auras un autre bébé.» Si l'intention était bonne, elle ratait la cible. Une autre femme, croyant manifester de l'empathie, me dit: «Je ne sais pas quoi te dire.» J'ai aussitôt eu l'impression de devoir la consoler. Quand on souffre autant, la dernière chose qu'il nous faut, c'est de devoir soutenir ceux qui sont censés nous apporter leur soutien.

Ma sage-femme, qui avait elle-même subi une fausse couche et mis au monde cinq enfants, m'avoua qu'aucune de ses grossesses menées à terme n'avait pu compenser pour la perte de son enfant. À ce jour, elle s'éveille en larmes et est assaillie par des cauchemars au moment de l'année où il aurait dû naître.

Elle me conseilla de ne pas sous-estimer la profondeur de ma souffrance même si ma grossesse avait été très brève.

Bien que de nombreuses femmes qui font une fausse couche ne se fusionnent pas autant que moi à l'être qu'elles ont porté, cette fusion s'opère chez certaines. L'intensité de la fusion détermine l'intensité de la perte et le temps que la blessure mettra à se cicatriser.

La sage-femme me confirma aussi qu'il était normal que j'aie peur de tomber de nouveau enceinte.

— Vous n'avez pas d'autre enfant. Votre seule expérience de la grossesse est une expérience de deuil. Pour que cela change, me dit-elle avec affection, il faudrait que vous puissiez porter un enfant à terme. Cela seul pourra vous donner un autre point de référence.

Quatre mois plus tard, mon conjoint et moi avons recommencé à tenter de concevoir et presque aussitôt la confusion nous happait de nouveau dans sa ronde. Mon cycle menstruel était très irrégulier (quarante-deux jours, à un moment donné), mes hormones semblaient devenues folles et j'avais des nausées. Étais-je enceinte? Le bouleversement de mes émotions était-il dû à un résidu d'hormones de grossesse? Mes symptômes n'étaient-ils que des manifestations psychosomatiques de mon intense désir d'être enceinte? Humiliation. Embarras à la pensée que je puisse avoir tout inventé. Une fois de plus, les tests étaient positifs. Pourtant, quelques jours plus tard, je fus prise de crampes et de saignements.

Je me suis effondrée. L'incertitude nourrissait mon fort sentiment d'inaptitude. J'ai de nouveau eu l'impression de devenir folle. La pensée de devoir revivre la même expérience me terrifiait.

Cette fois, les ultrasons indiquèrent que mes symptômes étaient sans doute dus à ma grossesse précédente. Mon corps produisait de toute évidence suffisamment d'hormones pour fausser le test. Ce n'étaient là que des données objectives, mais elles étaient la goutte qui fit déborder le vase. J'étais furieuse. La colère envahissait mon univers, expérience dont j'ai entendu la description suivante: «être précipité en enfer». Mon amertume et mon ressentiment devenaient chaque jour plus forts et plus visibles, et mes amis s'en sont aperçus. Leur présence et celle de leurs enfants me sont devenues intolérables. Je ne supportais plus de les entendre parler de couches et de biberons. Chaque fois que j'allais faire des courses en ville, je croisais au moins une femme enceinte ou je voyais un beau petit enfant s'approcher de moi pour me dire bonjour. J'étais pleine de colère, en guerre avec Dieu qui, j'en étais persuadée, prenait plaisir à me remettre ma souffrance sous le nez.

Ma colère me rendit encore plus vulnérable à mes souvenirs d'inceste. Je me rappelai que, lorsque ma mère était enceinte de mon petit frère, mon père avait encore plus souvent abusé de ma sœur et de moi. Une nuit que je me plaignais et que je pleurais, la tête enfouie dans l'oreiller, terrifiée à l'idée de devenir enceinte de mon père, je lui dis ce que j'avais sur le cœur. Il réagit en me ridiculisant avec une telle violence que j'en conclus qu'avoir des enfants, c'était pour les bons, les méchants n'ayant droit qu'au sexe. Ces suppositions prirent racine en moi.

Des années plus tard, je devins une adolescente difficile et révoltée. Le sexe, les drogues et la musique rock furent mes échappatoires.

— Pas question que j'aie des enfants, déclarai-je. Pas question d'avoir de petits morveux dans les pattes.

Après tout, j'étais faite pour le sexe, pas pour avoir des enfants.

Tandis que je pleurais sur ces pénibles souvenirs, mon conjoint et mes proches m'encourageaient à affronter toutes mes émotions, tous mes sentiments, toutes mes pensées dans la mesure de mes possibilités plutôt que de tenter de leur échapper. J'ai fait un véritable travail de deuil! Déchirant. Parfois dévastateur. Solitaire. Mais il m'a été très profitable. Un an plus tard, de nouveau enceinte, j'étais consciente de mon évolution. J'étais reconnaissante à la vie de ne pas m'avoir permis de mettre un enfant au monde sans d'abord avoir pris contact avec la souffrance et les sentiments de mon propre enfant intérieur. À sept semaines de ma grossesse, quand les saignements ont recommencé, j'ai découvert que, contrairement aux réactions que j'avais eues lors de mes fausses couches précédentes, je ne ressentais pas la même terreur archaïque à la vue du sang. J'ai davantage fait confiance aux processus naturels de mon corps et je me suis détendue... pendant un certain temps.

Mais un soir que des amis s'étaient réunis à la maison, je me suis retirée un moment aux toilettes. Les saignements s'étaient intensifiés. Brusquement, je me suis sentie au bord de la crise de nerfs. J'avais l'impression de me trouver en haut d'un précipice sans pouvoir affronter ce qui semblait se préparer. J'ai appelé une amie qui est venue presque tout de suite, et je lui ai fait part de mes appréhensions. Elle restait là et me tenait les mains.

— Je ne peux pas revivre cela, sanglotai-je.

Je secouais la tête sans répit, tandis que j'entamais une descente vertigineuse. Mon amie, qui est thérapeute, en vint droit au fait.

— Arrête immédiatement, fit-elle en me regardant dans les yeux. Tu n'es pas obligée de faire cela.

Il y avait tant d'affection dans sa fermeté qu'en fixant mon regard sur le sien, je compris que j'avais le choix de ne pas devenir folle.

— Reste ici, dit-elle fermement, ce qui signifiait «Reste attentive à ce qui se passe; ne te laisse pas sombrer dans la folie.»

Vous n'imaginez pas à quel point il peut être réconfortant d'être avec une personne qui n'essaie pas de vous remonter le moral, mais qui se contente de vous écouter. Avec son aide, j'ai pu rassembler mon courage, un courage que je ne croyais pas posséder.

La présence d'autres femmes est extrêmement importante dans de telles circonstances. Personne ne devrait vivre cela tout seul.

Cette nuit-là, je rêvai qu'un médecin confiant me disait: «Tout ira bien.»

Les résultats des ultrasons furent clairs: la situation se répétait. Cette fois, je savais pourquoi. Sans soutien médical, je serais incapable de mener une grossesse à terme, car mon corps ne produisait pas d'hormones en quantité suffisante. Mon médecin m'assura que, connaissant le problème, il lui était possible d'y remédier et il prononça exactement les paroles que j'avais entendues en rêve: «Tout ira bien.»

Sur le chemin du retour, je dis à ma compagne comme je me sentais aimée. Mes deux fausses couches avaient mis au jour plusieurs problèmes psychologiques non réglés, et j'étais heureuse de pouvoir les affronter en l'absence d'un bébé. Je savais que lorsque je deviendrais enceinte encore une fois, ce serait en temps opportun, et cette prise de conscience m'emplit d'une confiance à l'opposé du sentiment d'avoir été maudite par Dieu. Je savais que l'inceste subi n'était plus l'obstacle qui me séparait de Lui, mais la porte qui me permettait de L'approcher. J'en étais là dans le labyrinthe qu'il me fallait parcourir dans cette vie.

Me tournant vers mon amie, je lui dis: «Te souviens-tu de cette fois où je t'ai dit: "Je ne veux plus revivre cela?" Eh bien! je ne le revis pas. Je grandis. Mon deuil, ma souffrance ne doivent pas se fonder sur ma piètre estime de moi-même. Je me sens digne, par le simple fait d'être en vie, et la vie me semble une chose parfaitement merveilleuse.»

Quelques jours plus tard, j'étais à bord d'un avion. Nous avons traversé un remous et, sans réfléchir, j'ai posé mes mains sur mon ventre, comme il m'était si souvent arrivé de le faire, en disant au bébé que ce n'était rien qu'une poche d'air. Puis, je me suis souvenue de ma fausse couche, et mes yeux se sont remplis de larmes. J'ai pleuré doucement, mais profondément; ce petit rituel entre mon bébé et moi me manquait. Mon conjoint, voyant que j'étais bouleversée, m'a regardée avec inquiétude.

— Qu'est-ce qui ne va pas? fit-il avec douceur.

Je lui ai expliqué que j'avais tellement l'habitude de parler au bébé que j'en avais oublié son absence. Il a compris, et j'ai vu que ses yeux aussi étaient humides de larmes.

— C'est une très belle habitude, dit-il.

J'ai continué de pleurer. Sans résistance ni haine de moi-même, j'ai accueilli la douleur qui m'envahissait, tandis qu'elle devenait la nourriture même de mon âme.

## Peurs fréquentes/Questions fréquentes

En dépit des différentes façons dont on peut vivre le deuil d'un enfant, certains aspects de la perte ou du deuil qui s'ensuit reviennent avec une certaine fréquence. Vous vous sentirez peut-être moins déséquilibré, moins «fou», si vous savez que d'autres ont traversé une épreuve et des sentiments similaires et qu'ils ont pu en guérir.

Je vous invite à prendre lentement connaissance de la liste qui suit et à relever les circonstances qui vous ont bouleversé. En apprenant à considérer comme normaux ces sentiments, ces pensées ou ces interrogations, vous vous donnez un outil de plus pour parvenir à votre guérison.

*Peurs fréquentes*

- Vous avez peur d'être damné ou diabolique; vous avez peur que tout ce que vous touchez ou tout ce que vous entreprenez soit voué à l'échec ou à la catastrophe.
- Vous avez peur de ne pas avoir d'avenir, peur de vieillir, de dépendre des autres et d'être ruiné.
- Vous avez peur de la mort et vous souhaitez en même temps en secret de mourir pour mettre fin à votre souffrance.
- Vous avez peur que votre impression d'avoir perdu le contrôle, d'être émotionnellement dévasté, ne s'arrête jamais.

*Expériences fréquentes*

- Vous vous réveillez dans un état de panique en pensant à des choses qui, auparavant, ne vous avaient jamais inquiétés; vous avez envie de vous enfuir, de quitter le lieu où votre souffrance a pris naissance afin de l'oublier complètement.
- Vous pactisez avec Dieu ou avec vous-mêmes, en espérant envers et contre tout qu'un miracle mettra fin à votre cauchemar.
- Vous tentez chaque jour une nouvelle «approche», vous cherchez une thérapie, une technique, un «remède miracle».
- Vous errez dans la maison, vous regardez par la fenêtre en vous demandant quoi faire.
- Vous appréciez les attentions, les soins, l'affection qu'on vous manifeste et vous vous en culpabilisez.
- Vous voudriez pouvoir prier, être plus patients, et vous n'y parvenez pas.
- Vous «revivez» tous les malheurs de votre vie et la douleur de vos pertes antérieures.
- Votre père ou votre mère vous manque, même s'ils vous ont manifesté peu d'affection.
- Vous êtes si bouleversés de devoir prendre la moindre décision que vous fondez en larmes quand on vous demande ce que vous voulez manger.
- Vous appréhendez les «réunions de famille».
- Vous «voyez» votre enfant dans une foule, vous «entendez» sa voix, vous rêvez que vous le tenez dans vos bras et que vous l'allaitez, même si vous n'avez jamais eu d'enfant.
- Vous éprouvez du remords pour la façon dont vous avez traité les autres.
- Vous ne voyez que des tragédies dans le monde qui vous entoure; vous vous appropriez la souffrance de tous les hommes et de toutes les femmes qui vivent la même expérience que vous.
- Vous vous remémorez certains moments de votre enfance, surtout ceux qui vous ont effrayés, les moments de privation et les moments de violence.

- Vous cherchez ce qui pourrait combler le vide engendré par votre souffrance et vous développez une accoutumance à ce comportement.
- Vous êtes davantage portés à avoir des accidents et vous êtes plus souvent malades.
- Vous vous rendez compte que toutes vos relations sont tendues, même avec les personnes qui peuvent le mieux vous aider ou dont vous souhaitez le plus la présence.

*Émotions fréquentes*

- Vous avez peur de perdre tout contact avec la réalité.
- Vous vous sentez impuissants face à ce qui vous paraît insoluble.
- Vous vous reprochez souvent de «ne pas en avoir fait assez».
- Vous vous culpabilisez d'éprouver du soulagement quand vous découvrez enfin à quoi vous en tenir.
- Vous êtes troublés lorsque l'on parle d'enfants en votre présence.
- Vous prenez en mauvaise part quiconque semble heureux, surtout si cette personne a un enfant.
- Vous éprouvez de la colère ou du ressentiment envers le ou les enfants que vous avez perdus.
- Vous éprouvez de la gêne à faire part à quelqu'un d'autre de votre expérience et surtout de vos sentiments, de peur qu'on ne vous comprenne pas ou, ce qui est plus grave, qu'on vous juge.
- Vous vous sentez si déprimé, que vous n'avez pas la force de changer de vêtements ou de vous brosser les dents.

*Questions fréquentes*

- «Pourquoi?» ou «Comment cela a-t-il pu m'arriver?» ou «Où ai-je fait erreur?»
- «Suis-je une vraie femme?» ou «Suis-je vraiment un homme?»
- «Où est Dieu dans tout cela?»

Il est parfois utile de faire appel à un thérapeute pour affronter ces problèmes, mais cela ne signifie pas que vos réactions sont peu fréquentes ou anormales. (Pour en connaître davantage sur la possibilité d'un recours professionnel, consulter le chapitre 10.) Il importe que vous vous donniez la permission de vivre votre deuil et de croire que, comme la plupart d'entre nous, vous survivrez. Croyez-le, vous survivrez.

**Pour votre journal intime**

Les suggestions qui suivent ont pour but de vous aider à mettre au jour vos peurs cachées et vos interrogations. Quand vous couchez vos sentiments par écrit, vous jetez sur eux un meilleur éclairage. En faisant appel à votre sagesse intérieure, vous ressentirez un meilleur équilibre psychique.

1. Écrivez une lettre à un ami. Relisez la liste qui précède et cochez chaque énoncé auquel vous vous identifiez. Dans votre journal intime, parlez de ce qui vous trouble le plus parmi ces énoncés. Imaginez que vous vous confiez à un ami en qui vous avez confiance. Donnez à votre texte une forme épistolaire ou une forme libre.

2. Faites une liste de personnes ressources. Il arrive fréquemment que des personnes de notre connaissance peuvent répondre à certaines des questions que nous nous posons: un médecin, un conseiller financier, d'autres hommes ou femmes possédant une expérience similaire. Énumérez d'abord les questions ou les préoccupations qui se rapportent à l'expérience que vous vivez; énumérez les points sur lesquels vous êtes indécis ou quelques-uns des facteurs imprévisibles liés à votre perte. Relisez cette liste et, pour chaque énoncé, inscrivez le nom d'une personne qui pourrait vous renseigner ou vous venir en aide. Prenez la décision de faire appel à ces personnes au plus tôt.

3. Écoutez la voix de votre sagesse intérieure. De toute évidence, vous seul pourrez répondre à certaines de vos questions. Pour accéder à votre sagesse intérieure, vous pourriez notamment adopter un autre point de vue pour parler de vos problèmes. Imaginez que vous avez cinq ans de plus et que vous vous remémorez cette période-ci de votre vie. Imaginez que vous êtes une personne heureuse et en santé. Décrivez de la

façon la plus détaillée possible les moyens que vous avez pris pour parvenir à cette guérison.

4. Conclusion. Relisez votre texte. Complétez l'énoncé qui suit: «Depuis que j'ai réfléchi à mes problèmes ou que je les ai couchés sur papier, je comprends que...»

# 5

# C'est entièrement de ma faute

*«Quelle sorte de femme donne son enfant?» fit une voix
accusatrice. Les lèvres s'ourlaient autour des mots comme
s'ils sentaient mauvais. D'accord, ce n'était qu'un rêve,
mais ce rêve n'était pas très éloigné de la réalité que je
vivais jour après jour.*

HELEN G.

La femme qui s'exprimait ainsi avait presque cinquante ans et
son rêve remontait à vingt-cinq ans auparavant. Elle se le
remémorait en détail, comme s'il avait eu lieu la semaine précédente. Au cours de mes années de pratique, j'ai pu étudier,
comme bien d'autres, les vastes sentiments de culpabilité et de
honte souvent associés à la perte d'un enfant, à la stérilité ou à la
décision de ne pas avoir d'enfant.

Cette culpabilité et cette honte sont fascinantes, comme si le
deuil était un péché mortel. Quand nous perdons quelque
chose ou quelqu'un qui nous est cher, un rêve ou une attente,
une relation ou une partie de notre être, ou même quand l'objet de cette perte n'était pas désiré de toute façon, nous nous en
culpabilisons. Nous revivons sans cesse en pensée mille et un
détails associés à notre deuil en nous posant chaque fois les
questions suivantes: «En ai-je assez fait?», «En ai-je trop fait?»,
«Me suis-je trompé?» Au début du deuil, surtout, les réponses

à de telles questions ne jouent généralement pas en notre faveur.

En dépit de l'impact considérable qu'ont sur nous la psychologie populaire et les programmes de développement personnel, j'ai pu constater qu'un très grand nombre d'individus, en particulier dans nos sociétés occidentales, portent sur eux-mêmes un jugement très sévère. Notre comportement procède d'une profonde mésestime de nous-mêmes issue de la sévérité, de la peur ou de la crainte de Dieu qui ont marqué notre éducation. Cette insécurité s'estompe quand nous sommes occupés, que nous accomplissons quelque chose ou que tout va pour le mieux, mais sitôt que l'affliction et la souffrance ébrèchent les murs de protection derrière lesquels nous nous réfugions, elle agit sur notre perception des choses. Nous appréhendons au bout du compte d'être jugés inaptes, de montrer nos lacunes et de dévoiler sans défense nos secrets les plus lourds. Nous refusons que ce côté noir fasse aussi partie de ce que nous sommes. Nous avons honte de l'opinion que l'on pourrait avoir de nous. Nous avons honte de nous-mêmes. Nous nous culpabilisons de ne pas avoir répondu à nos propres attentes ou à celles d'autrui.

En période de stress, quand nous avons subi une perte, nous intensifions notre malaise par mille et un reproches tels que «Si seulement j'avais fait ceci ou cela...», tout en n'ignorant pas qu'il ne sert à rien de vouloir refaire les choses.

Dans le film *Paradise,* il y a une scène touchante montrant l'affrontement entre un homme et une femme douloureusement distants l'un de l'autre depuis plusieurs mois. Leur dialogue révèle la désaffection croissante dont ils sont victimes depuis le décès de leur enfant, trois ans plus tôt. Dans cette scène bouleversante où le mari n'en peut plus de la froideur de sa femme, il s'empare d'elle avec violence. Sans défense, la femme éclate en sanglots et avoue enfin à son mari qu'elle a entendu, ce jour-là, les pleurs de son bébé, des pleurs familiers comme ceux qu'elle entendait chaque jour. Sa douleur refoulée depuis si longtemps éclate au grand jour quand elle poursuit en disant que le bébé s'étant tu, elle l'avait cru endormi. Elle exprime ouvertement sa culpabilité et son regret de ne pas avoir empêché la mort de son bébé en se précipitant à son chevet. Elle s'en veut d'avoir attendu.

Cette scène se répète avec plus ou moins d'intensité dans toute situation de perte. La femme dont la grossesse est interrompue par une fausse couche ou celle qui donne naissance à un enfant handicapé se demande «Où ai-je bien pu me tromper?» Le parent qui perd la garde de son enfant lors d'un divorce amer pleure avec angoisse ce qui aurait pu être. La femme qui fait adopter son enfant ou celle qui choisit de ne pas en avoir peut, tout en assumant très bien sa décision, connaître certains moments de doute ou éprouver une sensation de manque lorsqu'elle aperçoit une mère avec son enfant. Dans les moments de dépression ou de stress, il peut arriver qu'elle se dise: «Si seulement...» Et il peut être extrêmement difficile pour elle de lutter contre ces voix accusatrices qui s'élèvent en elle, ces strictes voix parentales ou celles d'une société exigeante et insensible qu'elle a intériorisées.

Nous sommes souvent seuls au moment où nous seraient le plus nécessaires le soutien et l'acceptation d'autrui. Soit parce qu'ils «ne savent pas quoi nous dire», soit que notre deuil réveille le leur, les autres nous excluent de leur vie quand nous pleurons une perte. Cette mise au rancart peut accroître nos peurs et le sentiment que nous éprouvons d'être «méchant» ou d'avoir «fait une bêtise». Ils ne nous transmettent pas délibérément un tel message, mais c'est celui que nous percevons quand nous sommes obnubilés par la souffrance.

Le deuil se cherche un bouc émissaire, quelqu'un à blâmer, un lieu où déposer le fardeau que constituent cet outrage, cette confusion, cette peur. Quand personne n'est «là» pour le prendre sur ses épaules, il est normal que nous en rejetions le blâme sur nous-mêmes, que nous assumions la responsabilité de ce qui échappait pourtant à notre contrôle.

Parfois des années après l'événement, les hommes et les femmes ressentent encore le besoin de raconter leur histoire, d'exprimer leur culpabilité et les peurs secrètes qui les rongent. Même s'ils savent en théorie que leur culpabilité est irréaliste, qu'ils ne pouvaient pas être partout à la fois, qu'ils ne pouvaient pas donner ce qu'ils ne possédaient pas eux-mêmes, qu'ils ne pouvaient pas prévenir toute éventualité, ils ont besoin qu'on le leur rappelle, besoin de se l'entendre dire à plusieurs reprises par un ami ou un témoin compatissant afin d'exorciser ce démon à jamais ou, du moins, jusqu'au prochain moment de grande vulnérabilité. Certaines blessures ne guérissent jamais. Mais avec le soutien des autres, nous apprenons à composer avec notre détresse. Parfois, nous en acquérons même une plus grande compassion.

## LA CULPABILITÉ, LA SEXUALITÉ ET LA PERTE D'UN ENFANT

Les enfants naissent d'un acte sexuel. Ils naissent de notre corps nu, ils sortent d'entre nos cuisses. Ils arrivent nus, eux aussi, couverts de sang et de sécrétions. Leur arrivée, quand ils arrivent, est inextricablement liée à nos convictions, à nos peurs, à la culpabilité et à la douleur associées au fait que nous sommes des êtres de chair. Une amie sage-femme soutient que les femmes dévoilent leur attitude face à leur corps et à la sexualité pendant le travail. Une femme victime d'abus sexuel, par exemple, interrompra parfois le travail et freinera la dilatation.

— Comme si elle disait, fait la sage-femme, que «cet endroit-là» est terrifiant, sale, et qu'elle ne doit pas en tenir compte. Elle ne veut pas que son enfant arrive par là.

À l'adolescence, Marcelle était affolée de constater que son corps ne se développait pas, qu'elle n'était pas encore menstruée alors que ses compagnes l'étaient depuis plusieurs années. Mais bien qu'elle ait souvent interrogé sa mère et imploré son aide, celle-ci refusait d'affronter la situation.

— J'avais de plus en plus honte de moi-même, dit Marcelle. Je me sentais si seule, je souffrais et j'étais confuse. Je crois que la honte que ma mère ressentait face à son propre corps et le fait qu'elle avait sans doute été victime d'abus sexuel dans son enfance l'empêchaient d'accepter de s'occuper de mes ennuis physiques.

Renée, quarante ans, mère de trois enfants, ayant subi deux avortements dans la vingtaine, n'éprouva pas de culpabilité avant l'âge de trente-cinq ans quand elle s'efforça en vain de devenir enceinte.

— Je me disais que c'était une punition qui m'était infligée pour avoir avorté deux fois, avoua-t-elle, bien que je ne pense pas que Dieu l'ait voulu ainsi. Néanmoins, j'étais tentée d'y croire.

Aujourd'hui, elle a bien assumé ses décisions, mais elle avoue que la culpabilité dont elle ne parvient pas à se départir en période de stress l'étonne encore.

Il fut plus difficile pour Laurence, célibataire dans la cinquantaine, de se déculpabiliser d'avoir subi un avortement.

— Je me culpabilise beaucoup de ce que j'ai fait, bien que j'aie évacué ce problème en thérapie et que je me sois réconciliée avec Dieu. Mais je ne me suis jamais mariée, je n'ai jamais eu d'enfant, et cela me manque.

En dépit de l'obsession quasi pornographique des médias en ce qui concerne le sexe, nous vivons au sein d'une société où la détente innocente du corps est frappée de bon nombre d'interdits. Il est donc inévitable que les jugements négatifs que nous portons sur nous-mêmes soient renforcés par ceux d'autrui quand l'acte sexuel donne lieu à une naissance hors des liens du mariage, ou quand nous optons pour l'avortement, ou quand nous sommes stériles, et même quand nous adoptons un enfant ou que nous choisissons de ne pas en avoir.

Danielle, une femme très scolarisée ayant enfin eu un bébé après plusieurs fausses couches et plusieurs années de stérilité, déclarait que, lorsqu'elle était adolescente, sa mère lui avait inculqué une peur panique de la grossesse en lui répétant sans répit: «Ne tombe pas enceinte. Fais en sorte de ne pas tomber enceinte.»

Notre culpabilité – ou, mieux, notre honte – face au sexe est acquise directement ou indirectement. Aucun enfant ne naît avec cette honte, bien au contraire. Les enfants témoignent d'une sexualité dépourvue d'inhibition qui s'exprime avec une énergie vitale indomptée. Leurs inhibitions ne prennent forme que lorsqu'on les leur inculque. Une fois acquises, cependant, la culpabilité et la honte influencent grandement le cours de notre vie, les choix que nous faisons en ce qui a trait aux enfants et notre bien-être physique.

## MON HISTOIRE

La confusion, la peur et la culpabilité face à la sexualité ont été les catalyseurs de ma propre inaptitude à mettre des enfants au monde. Voici comment elle a pris forme en moi:

À vingt-huit ans, huit mois après mon mariage, j'ai subi une hystérectomie totale que les médecins prétendaient nécessaire. Je suis, pour ma part, convaincue que mon état de santé était le résultat d'une culpabilité de longue date et du refoulement de ma sexualité. En fait, je sais que c'était le cas.

J'étais une enfant sensible, élevée dans la religion catholique. Le peu d'éducation sexuelle que j'ai reçu m'a été transmis par les prêtres qui voyaient le péché partout. Dans les cours préparatoires à la confession, on nous disait que c'était péché de se toucher. Au début, j'ignorais ce que cela signifiait: voulait-on dire que nous n'avions pas le droit de toucher notre main, notre épaule, ou quoi? J'ai compris peu à peu qu'on ne devait pas se toucher «à cet endroit-là». Que c'était «dégoûtant». On aurait dit que j'avais une bombe à retardement dans mon corps, un engin quelconque qui pouvait exploser à tout moment et me précipiter en enfer. J'étais terrifiée à l'idée de commettre un péché. Je voulais agir de manière que Dieu ne me condamne pas.

Les enfants catholiques ne devaient pas parler de sexe ni se comporter de façon «impudique». J'avais quatre sœurs, toutes d'un âge proche du mien, et nous ne nous habillions même pas en présence les unes des autres. Je verrouillais la porte de la salle de bains pour enfiler mon pyjama. Tout était privé, secret. Je n'ai jamais vu mes parents dévêtus.

La peur du corps était depuis longtemps ancrée en moi quand je suis parvenue à l'adolescence. Au début de mon secondaire, j'ai tiré quelques conclusions du peu que je savais concernant la sexualité. Mais j'étais encore très ignorante de ses mécanismes et je croyais que l'enfant venait au monde par une ouverture dans le ventre de la mère. Je n'imaginais pas qu'il puisse sortir d'entre ses cuisses.

Une année, au camp de vacances, j'ai entendu les filles parler d'une adolescente qui venait d'avoir un bébé, et j'ai demandé: «Est-ce qu'elle était mariée?» Elles ont répondu

«Non!» Je ne comprenais pas. D'après moi, Dieu n'envoyait d'enfant qu'aux personnes mariées.

Le sexe me terrifiait parce que, en raison de mon éducation religieuse, je croyais que la seule pensée du sexe était un péché dont on devait se confesser. Je livrais par ailleurs un terrible combat avec moi-même. Je pensais au sexe pour m'efforcer de le comprendre, mais quand il m'arrivait d'y penser, je m'en confessais.

Pendant environ deux ans, j'ai été obsédée par l'idée de me déculpabiliser de mes «péchés». Je me lavais les mains quarante ou cinquante fois par jour. J'avais quatorze ans. Bien entendu, mon comportement inquiétait ma mère. Elle m'a envoyée en retraite fermée chez des religieuses dans l'espoir qu'on puisse me venir en aide; je ne me souviens pas que cela ait produit des résultats, mais j'ai apprécié que ma mère s'inquiète à mon sujet. C'était important.

Même après que mes obsessions eurent pris fin, la sexualité éveillait mon appréhension. Mes rapports avec les garçons étaient exclusivement amicaux et j'évitais toute rencontre un tant soit peu menaçante.

Dès ma plus tendre enfance, j'ai été attirée par Dieu et le dévouement, et je désirais ardemment faire de mon mieux, faire «le bien». À cette époque, je comprenais que, dans la religion catholique, la vocation religieuse était plus sainte que celle de mère, et puisque j'avais des aspirations élevées, je suis entrée au couvent à dix-huit ans.

J'aimais la vie en communauté. Le silence et la prière m'ont ouvert des régions du cœur profondes et satisfaisantes; je sautais du lit le matin, heureuse de vivre. Pendant des années et des années j'ai vécu dans le parfait bonheur. Ma vie était telle que je l'avais toujours souhaitée.

Mais je sais que je souffrais dans mon corps. Mes menstruations étaient extrêmement abondantes, j'avais de violentes crampes et des maux de tête. Il m'arrivait aussi parfois de succomber encore à mes scrupules obsessifs d'adolescente. J'en ai parlé à mes confesseurs, mais j'ai toujours eu l'impression qu'ils ne me comprenaient pas.

Mon corps devait aussi être très tendu. Certaines de mes compagnes avaient parlé de tampons sanitaires. J'ai voulu en faire l'essai, mais je ne suis pas parvenue à en introduire un. Je ne connaissais même pas suffisamment mon corps pour trouver mon vagin. Mon amie sœur Stéphanie, dont le père était médecin, a voulu me venir en aide, mais sans résultat. Maintenant que j'y pense, mon corps m'envoyait aussi d'autres messages.

J'ai quitté le couvent en 1971 après avoir vécu huit ans en communauté. Je n'en suis pas partie pour me marier, mais pour répondre à l'appel d'une autre vocation. Je savais que le Saint-Esprit avait d'autres projets pour moi. Les sœurs ont pleuré de me voir partir. Je n'ai jamais jeté un regard en arrière.

En 1973, huit mois après mon mariage, au cours d'une cytologie vaginale de routine, le médecin a senti une masse qu'il n'a pu identifier. Quelques jours plus tard, j'étais admise à l'hôpital pour des examens suivis d'une intervention chirurgicale.

J'avais consenti à ce que l'on fasse le nécessaire, et quand je me suis éveillée, j'ai su que le chirurgien avait pratiqué une hystérectomie totale – ovaires, col de l'utérus, utérus – et qu'il avait aussi procédé à l'ablation de l'appendice, par mesure de précaution. Au début, j'étais soulagée de ne pas avoir le cancer, mais une «simple» endométriose qui avait sans doute détruit mes ovaires.

À l'époque, il ne m'avait pas paru trop grave d'être devenue stérile en raison de cette chirurgie. Mais personne ne m'avait invitée à faire le deuil des enfants que je n'aurais pas. Je crois que tous étaient soulagés de ma réaction. Personne, du reste, ne faisait allusion à ma stérilité.

Je me souviens d'avoir téléphoné à mes parents avant l'intervention. Ils habitaient à l'autre bout du pays, et je leur avais dit de ne pas se donner la peine de faire le voyage. Je les protégeais, mais je me protégeais aussi, car je ne tenais pas à être forcée de paraître plus courageuse que je ne l'étais.

J'avais très peur, mais au lieu de s'exprimer ouvertement, cette peur me soumettait entièrement aux décisions de mon médecin et à la routine de l'hôpital. Je suis certaine que je me disais: «Si je suis une brave fille, Dieu ne me punira pas.» C'était le leitmotiv de ma vie à cette époque, et je ne m'en suis pas encore affranchie complètement.

Je suis pas mal certaine que j'aurais eu des enfants en l'absence de cette intervention. Je ne crois pas que mon désir d'en avoir ait été très grand, mais j'en aurais eu quand même, parce que c'était «la chose à faire», ce qu'on attendait de moi.

Je parle d'il y a vingt ans. Depuis, il m'est arrivé à l'occasion d'avoir envie d'un enfant et de partager cette expérience avec mon mari. Je ne l'ai jamais senti réfractaire à l'idée, mais pas davantage enthousiaste. Quand cette envie s'emparait de moi, j'envisageais l'adoption, mais mon enthousiasme déclinait au bout de quelques semaines ou quelques mois. C'était une sorte de rêve et je croyais qu'il raviverait notre mariage, je pense, ou encore une façon de prouver à mes parents que j'avais réussi ma vie.

Nous avons probablement perdu quelque chose en n'adoptant pas un enfant. C'est un aspect de la question auquel il m'arrive souvent de penser. Un enfant aurait sans doute éveillé ma compassion, il m'aurait permis d'accéder à ce dévouement altruiste que j'avais toujours souhaité. Je dois composer avec ces réflexions chaque fois qu'elles me viennent à l'esprit.

N'est-ce pas choquant de constater la somme d'angoisse que je me suis imposée, une angoisse issue de mon besoin de prouver ma valeur à un Dieu de justice, intransigeant et exigeant? J'ai payé cher ce besoin. J'ai offert mes ovaires et tout mon utérus à ce Dieu!

J'ai aussi fait preuve de courage: «Eh bien! si c'est là le prix que vous exigez pour ma pureté et ma bonté, le voici...» Quelle tristesse! Des années durant, je me suis sentie coupable. Je suis restée chaste, j'ai nié mon corps, en même temps que j'étais très peu conventionnelle, tant au couvent qu'après ma sortie, dans le but de m'affranchir de la tyrannie de la répression. Mais j'ai vécu un cauchemar. Oui, quand je suis capable de le reconnaître, je vois bien que c'était un véritable cauchemar.

## VENIR À BOUT DE SA CULPABILITÉ

Je ne serai sans doute jamais exempte de mes sentiments de culpabilité. Ils sont profondément ancrés en moi. Mais j'ai appris à composer avec eux, à les accepter pour ce qu'ils sont et à refuser souvent de me laisser dominer par eux. Le meilleur moyen de nous affranchir de la culpabilité et de la honte consiste sans doute à respecter son corps. Dans mon cas, ce respect a pris forme quand j'ai développé certaines disciplines physiques qui traitent le corps avec soin et compassion: les techniques de relaxation, le yoga, la danse et les massages. Cela ne suffit pas, bien sûr, mais c'est un bon début. Le souvenir de la douleur s'imprime dans certains organes et certaines cellules. Des années après, quand on traite ces parties du corps au moyen du toucher thérapeutique, les sensations et les souvenirs qui leur sont associés peuvent être évacués.

Écrire cet ouvrage et écouter les autres faire le récit de leur honte et de leur culpabilité face à leur corps et face à la perte d'un enfant a été pour moi une expérience très régénératrice.

En faisant le récit de ma propre histoire, j'ai pu me débarrasser de ma honte et de ma culpabilité irréalistes. J'ai pu assumer mes responsabilités quand elles me revenaient et refuser un blâme qui ne m'était pas destiné.

L'absence d'enfant dans ma vie a été un bienfait à maints égards. Mon mari et moi avons pu vivre auprès d'autres personnes, dont des enfants, et nous établir au sein de la communauté spirituelle dont nous faisons aujourd'hui partie. Nous participons à la vie de nombreux enfants, dont certains habitent avec nous.

J'ai subi une perte et je la pleure. J'espère la pleurer de plus en plus avec le temps, non par complaisance, mais parce que le deuil, en préservant mon ouverture de cœur, m'aide à connaître la douleur d'autrui et à en témoigner. Mon deuil est le fondement qui me permet de construire autre chose. Quelque chose d'éternel.

La revue *Yoga Journal* a publié la touchante histoire d'un groupe d'Américaines bouddhistes participant à une cérémonie d'évocation et d'acceptation de l'absence des enfants dans leur vie.

Les bouddhistes japonais ont un dieu appelé Jizo, protecteur des voyageurs, y compris des voyageurs qui entrent dans la vie ou se rendent dans l'au-delà. On dit que Jizo protège aussi les âmes des fœtus morts au cours d'une fausse couche ou d'un avortement. Jizo est dépeint sous les traits d'un moine au visage poupin; il tient parfois un bijou dans ses mains. Comme le veut la tradition, les femmes japonaises confectionnent à l'intention des statues de Jizo des bavoirs rouge vif, chacun commémorant la perte d'un enfant.

L'article décrivait une cérémonie au cours de laquelle un groupe d'une quarantaine de femmes, dont l'âge variait de vingt à soixante-dix ans, étaient occupées à confectionner en silence leur bavoir rouge, tandis que l'une d'elles faisait aux autres le récit de sa perte ou de sa douleur, parlait de sa culpabilité face à une fausse couche, un avortement, le décès d'un enfant ou son adoption.

«La pièce, écrivait Melody Ermachild, s'emplit de la présence de ces êtres venus nous rejoindre ici-bas, qui sont entrés dans nos corps et les ont quittés ensuite. Les nombreux enfants et petits-enfants que nous avons mis au monde et que nous éduquons sont aussi présents avec nous. Au cours de cette cérémonie, notre personnage extérieur s'est dissous dans le deuil que nous partageons en tant que mères. C'est un deuil que nous partageons avec toutes les femmes du monde dont la grossesse ne s'est pas toujours conclue par la naissance d'un enfant à accompagner jusqu'à l'âge adulte.»

Ermachild poursuit en disant: «Nous, les femmes, nous nous sommes remémoré ensemble nos enfants, nous avons pu admettre leur décès et leur offrir nos adieux et nos meilleurs vœux pour leur sécurité. Nos souvenirs douloureux perdureront, mais ils seront toujours adoucis par le baume du rituel de ce jour. Jamais plus nous ne verrons nos fausses couches ou nos avortements du même œil[1].»

De tels rituels sont inappréciables pour ceux qui vivent leur deuil. Ils contribuent surtout à dissiper en eux le poids d'une culpabilité vieille de plusieurs années. Un rituel nous aide à guérir les fragments brisés ou refoulés de notre vie en nous démontrant que le sacré nous est toujours accessible, même au cœur de l'échec. Cette cérémonie était particulièrement efficace, car elle était celle de tout un groupe de femmes dont chacune devenait le témoin des autres. Ainsi, quand nous racontons notre histoire à des amis qui nous sont chers ou aux membres d'un groupe de soutien, ou quand nous la rédigeons pour notre seul bénéfice, nous participons à un rituel de guérison fondamental aux effets souvent profonds et durables.

Nous reparlerons de l'utilité des rituels dans le chapitre 10.

### L'histoire de Marcelle

Dans son ouvrage intitulé *Making Sense of Suffering*, le psychologue J. Konrad Stettbacher explique comment le refoulement des émotions dû au manque de réconfort prodigué par les parents peut déboucher plus tard sur un comportement sexuel compulsif ou irresponsable. Nous n'avons pas tous été désirés par nos parents et notre venue n'a pas toujours été planifiée. Pour certains, nous n'avons été qu'un poids supplémentaire, l'enfant obligatoire imposé par une Église catholique qui interdisait le contrôle des naissances. De plus en plus d'individus se rendent compte qu'ils ont connu, avec un membre de leur famille, une situation d'inceste. On a inculqué à ces enfants la certitude qu'ils étaient méchants ou un fardeau pour papa et maman, ou bien ils croient avoir mérité d'être victimes d'inceste et ils s'en tiennent responsables. Ce sentiment d'imperfection les accompagne jusqu'à l'adolescence et l'âge adulte.

Stettbacher cite une jeune femme qui dit s'être sentie rejetée et qui relate les conséquences découlant de ce sentiment.

---

1. Melody Ermachild, «A Ceremony for Lost Children», *Yoga Journal*, novembre/décembre 1991, pp. 106-107.

Le rejet et le désintérêt de mes parents se sont si profondément ancrés en moi que j'en suis venue à ne plus rien comprendre. Chaque jour était une torture, un amas d'émotions intolérables. J'avais l'impression de toujours les déranger, d'être de trop, inepte et, surtout, coupable et méchante. Les efforts que je devais déployer pour combattre ou fuir cette impression m'épuisaient. J'ai pensé à me suicider, à faire ce que mes parents n'avaient pas eu le courage de faire bien qu'ils l'aient toujours souhaité: m'«avorter» moi-même[2].

Nous mettons plusieurs moyens en œuvre pour tenter de nous avorter nous-mêmes. Pour Marcelle, maintenant âgée de trente ans, une grave accoutumance à l'alcool et aux drogues a marqué la fin de son adolescence. Le récit de sa culpabilité, de sa peur et du rejet de ses parents à une époque de sa vie où elle avait le plus besoin de leur aide est particulièrement tragique. Le voici:

Vers l'âge de huit ans, j'ai commencé à me dire: «Je ne veux pas avoir d'enfants.» Avoir des enfants me paraissait trop affligeant. Une semaine avant mon dix-huitième anniversaire, j'ai su que j'étais stérile.

Pendant toutes mes études secondaires, je me sentais tarée parce que je n'étais pas développée sexuellement. Je n'étais pas menstruée. Cela me bouleversait beaucoup. Ma vive inquiétude et mon appréhension se traduisaient par un sentiment de honte. J'avais les cheveux longs et je les ramenais sur ma poitrine pour qu'on ne voie pas que je n'avais pas de seins. Les garçons de huitième année racontaient que j'étais aussi plate qu'une planche à repasser, ce qui ne faisait qu'aggraver mon cas.

Ma mère ne m'aidait pas. Elle se contentait de me dire: «Ne t'inquiète pas de cela.» Certaines de mes copines

2. Konrad Stettbacher, *Making Sense of Suffering*, New York, Dutton, 1991, pp. 83-84.

connaissaient mes inquiétudes, mais elles ne pouvaient guère comprendre ce que je traversais. J'ai fini par consulter notre médecin de famille pour tenter de découvrir ce qui n'allait pas, et il m'a référée à plusieurs spécialistes. Ma mère s'en est offusquée. Elle devait me conduire ici et là en voiture; pour elle, j'étais un fardeau. Je me sentais coupable, comme si tout était de ma faute. Bien entendu, je n'en ai jamais parlé à mon père. Pas une seule fois.

À l'hôpital, on m'a fait subir une laparoscopie. Le médecin a introduit un instrument dans mon nombril pour voir à l'intérieur du corps. J'ai su plus tard que mes ovaires ne s'étaient pas développés et que mon utérus ne mesurait qu'un centimètre de diamètre. Je ne pourrais jamais avoir d'enfants.

À cette époque, cependant, tout ce qui m'importait était la souffrance qui m'était infligée. J'ai téléphoné à ma mère pour lui annoncer que je devrais séjourner à l'hôpital un jour de plus, mais elle ne m'a même pas demandé comment je me sentais. Elle s'est contentée de dire: «Bon, d'accord, on se voit demain.» Mon père est venu me chercher sans rien dire. J'avais envie de pleurer, mais je me suis retenue. Pleurer m'aurait humiliée.

Quand les résultats de mes examens me sont parvenus, ma mère n'a pas voulu que nous en parlions. J'avais honte. J'ai mis des semaines à tout révéler à mon frère. Il savait que j'avais subi une intervention chirurgicale, mais personne ne lui avait dit de quoi il s'agissait.

J'ai marché en m'appuyant sur une canne pendant plusieurs jours à cause de la douleur. Mes parents ne m'ont pas offert de m'accompagner à l'école en voiture. Une absence totale d'émotion, un refus de la situation a caractérisé l'attitude de ma famille.

J'aurais dû m'y attendre, je suppose. Mais j'avais toujours espéré que les choses changeraient. À l'âge de cinq ans, j'ai subi une mauvaise fracture du bras en tombant au supermarché. La douleur était si violente que j'ai crié. Ma mère m'a enjoint de ne pas pleurer, elle se plaignait que je faisais trop de bruit. Je l'embarrassais. Pouvez-vous le croire? Quel égocentrisme. Et quel message à transmettre à une enfant: «Ne ressens rien. Ne te fâche pas.»

Tout de suite après mon séjour à l'hôpital, j'ai commencé à consommer de la drogue et de l'alcool, et je suis devenue boulimique. Les hormones que je devais prendre transformaient si radicalement mon apparence que j'avais l'impression de devenir obèse. Je me suis mise au régime. Ma mère m'y a encouragée. Quand je me suis inscrite à l'université, ma boulimie avait atteint son paroxysme. Je m'empiffrais et je me purgeais chaque jour; c'était une excellente façon de rester prisonnière du cercle vicieux de la culpabilité, du secret et du mépris de moi-même.

Ma boulimie obéit peu à peu à certains rituels que je planifiais; j'organisais ma vie en fonction de la nourriture. J'avais l'habitude d'attendre que ma colocataire quitte l'appartement, puis je passais cinq heures à faire la cuisine, à engouffrer la nourriture, puis à me purger, dans le plus grand secret. Le secret accroissait ma culpabilité et ma honte. Si ma colocataire laissait une tarte entamée dans le frigo, je mangeais ce qui en restait, puis je confectionnais une tarte identique, j'en mangeais une partie et je rangeais le reste dans le réfrigérateur. J'ignorais que d'autres personnes avaient le même comportement que moi. J'ignorais que j'étais malade. Je savais seulement que je me détestais d'agir ainsi.

Pendant ce temps, j'avais une vie sexuelle très active. J'avais l'impression que mon état me donnait la permission de coucher avec tout le monde. Tout cela m'était égal. Pourtant, je ressentais toujours le besoin de dire à mes partenaires que j'étais stérile. J'avais besoin de savoir qu'ils m'acceptaient en dépit de cela.

Peu après mes études, j'ai touché le fond. Ma vie n'avait plus aucune structure. J'ai trouvé du travail comme cuisinière dans une résidence pour étudiants, ce qui me permettait de m'empiffrer à volonté. Quand on me refusait les emplois que je postulais, je me sentais vile. Je n'avais aucune estime de moi-même. Pour compenser, je m'adonnais au conditionnement physique, mais à l'excès. Quand mon poids a atteint 48 kilos, c'est devenu une question de vie ou de mort. J'ai compris que j'avais besoin d'aide.

Ma stérilité n'a pas été la seule cause de mon alcoolisme et de mes autres accoutumances. Ce n'était que la pointe de l'iceberg ou la goutte qui a fait déborder le vase. Je sais maintenant que tout remonte à l'abus sexuel que m'a fait subir mon grand-père. Dans ma famille, c'est un scénario qui se répète. Je suis sûre que mes parents ont, eux aussi, été victimes d'inceste.

### La guérison de Marcelle

J'ai participé à plusieurs programmes de soutien en douze étapes. Il m'a fallu des années de travail pour faire face à mes problèmes. Si j'ai accepté de ne pas pouvoir avoir d'enfant, c'est que je n'y peux rien. Une de mes armes les plus efficaces consiste à accepter les choses que je ne peux changer au lieu de me buter contre elles. «Mon corps est ainsi fait», me dis-je. Ni honte ni culpabilité. Je ne suis pas ainsi sans raison: je peux me servir de ma stérilité pour venir en aide aux autres; ce ne serait pas une erreur. Aujourd'hui, je visite les prisons des femmes pour y véhiculer le message des Alcooliques Anonymes et, à la télévision, j'ai parlé de la façon dont j'ai surmonté ma boulimie. Ce sont des choses qui me revalorisent beaucoup, qui rehaussent mon estime de moi-même. Je comprends que je n'ai pas souffert en vain. Je me sens utile, je sais que je laisse des traces. Je fais tout cela autant pour moi que pour les autres.

Je ne crois pas qu'il me soit nécessaire d'avoir des enfants pour éprouver un sentiment de plénitude. Mais il m'arrive de m'en attrister. Je crois que je dis «Je ne veux pas d'enfants» pour exorciser la douleur de ne pas pouvoir en avoir. Je n'ai pas encore terminé mon deuil, mais j'y parviendrai, et à mon rythme.

Il y a un homme que j'aime beaucoup et de qui je voudrais me rapprocher. Mais je sais qu'il aimerait avoir des enfants; cela m'empêche de construire une relation avec lui et cela me fait de la peine. Je ne veux pas adopter un enfant. Si j'avais un enfant, je voudrais qu'il vienne de moi. Je sais à quel point les parents influencent leurs enfants, inconsciemment même, avant la naissance, et je ne me sens pas prête à élever l'enfant de quelqu'un d'autre.

Plusieurs de mes collègues de travail ont des enfants. C'est leur sujet de conversation préféré: «Mon enfant a fait ceci, mon enfant a fait cela.» Je me sens exclue, même si je m'efforce de m'intéresser à ce qu'elles disent et que je leur pose des questions. Mais je dois avouer que c'est un sujet qui m'échappera toujours.

Je ne dois jamais perdre de vue, quand mes émotions sont à la baisse, que celles-ci obéissent à une courbe ascendante puis descendante. Certains jours, j'accepte ma situation sans problème, comme si elle me convenait parfaitement et comme si je n'avais pas besoin, dans cette vie, de connaître les joies de la maternité. Le lendemain, si je suis un peu dépressive, je retourne mon état contre moi-même. Je me surprends à penser que «je ne suis pas une vraie femme. Sans ces hormones que j'absorbe quotidiennement, je n'aurais même pas une apparence féminine.» Ces pensées m'humilient et réveillent mon envie de me cacher parce que mes seins ne sont pas assez gros.

Mais, dans l'ensemble, j'accepte mieux mon corps. Je pose autour de moi un regard plus objectif. Il y a des tas de femmes aux petits seins qui sont très féminines. Je le reconnais.

Le fait d'avouer mon ressentiment m'a été d'un grand secours. J'étais surtout fâchée contre ma mère. Fâchée contre moi-même aussi. Quand j'ai surmonté ma boulimie, mon alcoolisme et ma toxicomanie, j'ai vécu dans une colère perpétuelle pendant deux ans. Le groupe de soutien dont je faisais partie me permettait de m'exprimer, mais en privé, je bouillais de rage. J'écrivais sans cesse. J'écris toujours. Écrire me permet d'identifier mes sentiments, ma colère, ma tristesse, ma peur. Cela m'aide aussi à garder le contact avec Dieu. Parfois, il est question de nourriture. À d'autres moments, je rédige des remerciements pour m'aider à surmonter mon négativisme. Cela m'est très facile de céder au pessimisme.

Un des facteurs les plus importants de ma guérison a été d'observer une discipline de vie assez stricte. La décision de renoncer à ce qui pouvait nuire à ma santé a rehaussé mon estime de moi-même dans tous les domaines de ma vie. C'est ma bouée de sauvetage. Si je peux dire «non» à l'alcool ou à la nourriture, je peux aussi dire «non» à autre chose. Rien ne m'oblige à céder à la fausse indépendance et à la complaisance de la société de consommation qui veut me faire croire que «je peux faire tout ce que je veux». Ce serait un enfer. Ce message est mensonger. Il suppose que je ne désire m'imposer aucune limite; mais une telle liberté est utopique et nous prive du respect de soi. Les enfants gâtés sont malheureux.

Je remercie le ciel chaque jour de ne pas devoir constamment affronter ces problèmes. Ma sobriété, mon abstinence, je les vis de jour en jour, d'instant en instant. Je crois que ceux qui pensent régler leurs problèmes une fois pour toutes se leurrent.

Pour ce qui est de la culpabilité, j'ai très longtemps vécu avec la certitude d'être «endommagée». C'est une vision de soi que partagent bon nombre d'alcooliques. J'avais l'impression de ne pas avoir ma place sur cette terre, que le simple fait de vivre était une erreur.

Maintenant, quand on cherche à me culpabiliser ou à me faire des reproches, je ne joue pas. Personne ne peut m'humilier si je ne me laisse pas faire. Voilà une nuance importante. Je ne me laisse plus convaincre. Je me dis: «Hé là, vous ne pouvez pas me maltraiter sans ma permission.» Je prends soin de moi-même.

La culpabilité ne sert à rien; elle ne mène nulle part. Le remords, quant à lui, me permet de connaître les changements que je veux apporter dans ma vie, ce que je veux transformer. Ma sobriété est en partie due au ménage que je veux faire.

Depuis quelques années, je suis aussi plus à l'aise en compagnie des enfants. Je ne crains plus de les éloigner. J'ai éprouvé longtemps beaucoup de ressentiment envers eux parce que je ne pouvais pas en avoir, et ma colère les faisait fuir.

Maintenant, quand un enfant me touche ou me fait savoir qu'il m'accepte, c'est très précieux. Un cadeau de roi. J'en redemande.

## QUI EST RESPONSABLE?

Quand nous parvenons à nommer les choses par leur nom, nous parvenons aussi à les dominer. C'est le cas de l'affliction. Si vous savez que vous réagissez normalement tant physiquement qu'émotionnellement, vous trouvez un certain apaisement dans la certitude que vous n'êtes ni seul ni fou.

Ainsi, il est utile de pouvoir faire une distinction entre la culpabilité, la honte et le remords, car cette prise de conscience est suivie d'une transformation. Tant de gens souffrent sans savoir qu'il existe quelque part une issue au cercle vicieux de la culpabilité. Après l'événement déclencheur, la culpabilité est moins une émotion qu'un réflexe à tout un éventail de messages autodestructeurs: «Je suis méchant», dit le cerveau. «J'aurais pu...», répète-t-il. «Si seulement», gémit-il. «C'est entièrement de ma faute», affirme-t-il.

L'esprit semble prisonnier d'une bande magnétique sans fin; il rejoue les circonstances qui ont déclenché le sentiment de culpabilité et répète sans répit ses messages accusateurs. Quand vous parvenez à déceler votre tendance à vous sentir coupable ou honteux (ce qui ne mène jamais nulle part), vous pouvez vous prendre en main.

Nous les confondons souvent, mais la culpabilité et la honte ne sont pas interchangeables. La culpabilité provient du fait que nous croyons avoir fait quelque chose de «mal», nous être «trompés», délibérément ou par accident. On peut se sentir coupable d'avoir agi ou de ne pas avoir agi, dans les faits ou en imagination: les circonstances n'ont souvent rien à y voir. Certaines personnes se culpabilisent énormément pour certaines choses que d'autres considèrent de peu d'importance. Tout dépend de leur façon de vivre une situation donnée et de leur tendance à renforcer leur sentiment d'inaptitude par n'importe quel moyen.

L'embarras d'avoir eu un comportement «immoral» ou socialement inacceptable accompagne le sentiment de honte. La honte est engendrée par les réactions ou la présence d'autrui. Tout comme la culpabilité, c'est un sentiment acquis que l'on renforce. Les enfants n'éprouvent pas de honte à moins qu'on leur inculque un tel réflexe. Pour cette même raison, ces réflexes peuvent être désappris ou, du moins, relégués à l'arrière de la psyché.

Marcelle est parvenue à se guérir partiellement de sa culpabilité en comprenant que, tout comme la honte, elle lui avait été inculquée par la société, par ses parents et par des compagnons insensibles. Il est crucial pour nous d'être en mesure d'admettre que nous n'avons pas demandé à recevoir tous ces messages qui nous donnaient mauvaise conscience, et d'en rejeter la responsabilité sur qui de droit. Cela ne signifie pas que nous devions blâmer nos parents ou qui que ce soit d'autre. Cela signifie que nous reconnaissons qu'ils nous ont longtemps fait porter un fardeau dont nous avons assumé la responsabilité. Faire le récit de notre histoire peut nous aider à nous en libérer.

Relater son histoire et tenir un journal intime peuvent également nous aider à prendre du recul par rapport à notre culpabilité.

— Si j'avais su que je n'aurais jamais d'autre enfant, je n'aurais jamais fait adopter mon bébé, dit une femme.

Mais le fait est qu'elle ne pouvait pas le savoir. Personne ne pouvait le savoir. Pas même Dieu.

Quand nous avons blessé autrui par nos comportements, je crois préférable d'employer un autre mot que «culpabilité» ou même une autre expression que «saine culpabilité» comme le préconisent certains spécialistes du deuil. J'aurais plutôt tendance à affirmer que la culpabilité n'a rien de bon. Le «remords» ou la «contrition» me semblent beaucoup plus constructifs.

Claude, un homme d'affaires respecté, a admis éprouver du remords pour la façon dont il a traité ses belles-filles. Des années plus tard, son honnêteté impitoyable et sa contrition l'aident à transformer radicalement la relation qu'il a avec ses propres enfants.

Mes belles-filles avaient quatre et six ans quand je suis entré dans leur vie. À cet âge, tout allait plutôt bien entre nous, mais plus elles vieillissaient, plus je devenais sévère. J'insistais pour qu'elles m'obéissent. «Vous me remercierez plus tard», disais-je. Notre relation s'est détériorée peu à peu. Je ne les acceptais pas telles qu'elles étaient. J'étais persuadé que j'avais raison et qu'elles avaient tort. Je le constate avec le recul et j'en souffre.

Je me suis éloigné de mes belles-filles en n'approuvant ni leurs idoles, ni leur style de vie, ni la musique qu'elles aimaient. Je les sermonnais sans cesse. J'étais égoïste et je ne tenais pas compte de leur personnalité. Je faisais preuve d'une inconscience hypocrite: à la même époque, je donnais des ateliers de développement personnel axés sur la conscience de soi.

Bien entendu, le manque de communication entre nous me frustrait. Je n'étais pas idiot. Je savais que ce n'était pas entièrement de leur faute. J'en voulais aussi à moi-même pour cette situation.

Ma relation avec elles est encore tendue. Mais le remords que j'ai éprouvé m'a beaucoup aidé dans ma relation avec mon fils, des années plus tard. Nous communiquons entre adultes, maintenant, plutôt que de parent à enfant. Cette contrition m'a transformé. Je n'ai pas eu de grands efforts à faire pour ne pas reproduire le même scénario avec mon fils. J'étais déjà différent. Quand j'étais avec lui, je m'efforçais de renforcer le plus possible ses traits positifs.

Par exemple, je lui ai un jour offert une guitare électrique et un amplificateur. Je savais comme il aimait la musique. Il jouait parfois jusqu'à cinq ou six heures par jour. C'était très fatigant pour toute la famille, mais j'ai demandé aux autres de se montrer patients. Je me suis dit que, lorsqu'une personne découvre quelque chose qu'elle aime, il faut l'encourager. Alors, j'ai tenu bon. Mon fils a ainsi pu profiter d'une chose qu'il n'aurait pas pu connaître autrement.

Le remords peut être une émotion très constructive qui nous incite à «faire le ménage», comme disait Marcelle. C'est une émotion qui peut exacerber notre nature humaine. Comment être conscients des bienfaits que Dieu nous prodigue si nous ne sommes pas conscients des moments où nous ne nous sommes pas montrés à la hauteur de notre idéal? Quand nous nous donnons la permission d'éprouver du regret pour, entre autres choses, l'amour que nous n'avons pas su conquérir sans pour autant retourner ce regret contre nous-mêmes, et reconnaître que l'erreur est humaine, nous accédons à cette sage innocence qui est aussi le propre de l'être humain.

### Sujets de rédaction

À la fin de nos entretiens, Susan et moi avons demandé à chaque personne en deuil ce qu'elle dirait à une autre personne vivant la même situation qu'elle. Leur message était toujours compatissant. Il y était souvent question de l'inutilité de la culpabilité.

L'exercice de rédaction qui suit a pour but de vous aider à vous distancer de votre culpabilité et de vos jugements sévères envers vous-mêmes. Il vous aidera à vous montrer compatissant envers quelqu'un qui traverse un deuil identique au vôtre. Le voici:

1. Réfléchissez aux aspects de votre deuil qui vous tourmentent ou vous culpabilisent encore.

2. Imaginez que votre meilleur ami a vécu exactement la même situation que vous et qu'il éprouve le même tourment et la même culpabilité. Demandez-vous comment vous lui viendriez en aide. Que pourriez-vous dire pour lui porter secours?

3. Écrivez à l'ami qui «se culpabilise», et offrez-lui votre soutien et votre réconfort. Parlez-lui objectivement de la culpabilité, même si vous n'êtes pas encore capable de mettre vos théories en pratique.

4. Quand vous aurez terminé, relisez ce que vous avez écrit. Résumez vos sentiments ou vos pensées en complétant la phrase suivante: «Le fait d'écrire ceci me permet de...»

Si vous avez envie de continuer à écrire sur n'importe lequel des aspects de votre deuil, qu'il soit ou non relié à la culpabilité, fiez-vous à votre inspiration. Écrivez.

# 6

# Je ne domine pas la situation

Nous perdons toujours quelque chose. C'est indispensable. Nous devons fermer la porte sur *ce qui fut* de manière à pouvoir vivre *ce qui est* ou *ce qui sera*. La plupart du temps, ces pertes sont si naturelles, si intégrées à notre développement normal que nous ne les remarquons même pas. Mais quand les preuves deviennent trop visibles pour que nous les repoussions – comme lorsque ces ridules au coin des yeux se transforment en véritables pattes d'oie –, la réalité nous frappe. Quand nous affrontons une situation indépendante de notre volonté, nous ressentons la frustration, la tristesse et la douleur de toute une vie de deuils.

Dorothée et son mari ont ressenti cette impuissance lorsqu'ils ont été placés devant le fait que Dorothée était stérile.

Elle dit:

> Nous avons toujours été des personnes très ambitieuses, mais cette fois, nous nous trouvions devant un obstacle insurmontable. Les gens dans notre situation ont souvent l'impression que leur corps leur échappe, et cela peut être très frustrant. Nous n'aimons pas cela. Nous ne voulons pas cela. Nous refusons que le calendrier nous dicte notre vie sexuelle. Nous refusons d'avoir à prendre une décision difficile de plus. Surtout, nous ne voulons pas croire qu'une chose aussi

intimement liée au sentiment que nous avons d'être des adultes
compétents et autonomes échappe à notre volonté.

La rationalisation est un réflexe auquel ont fréquemment
recours les personnes qui se trouvent devant une situation qui
échappe à leur volonté. Elles se renseignent tellement sur leur problème que même leur thérapeute considère parfois cela excessif.
Cette stratégie peut être de quelque utilité à court terme, mais tôt
ou tard elle empêche l'individu d'assumer ses émotions. La rationalisation peut devenir une forme subtile de refus.

Le deuil de ces enfants dont nous avons perdu la garde après un
divorce engendre, lui aussi, beaucoup d'impuissance. Nous pensons que nous avons fait de notre mieux, que nous avons fait notre
juste part, mais quand le jugement n'est pas rendu en notre faveur,
nous souffrons de notre impuissance. Quand nous constatons que
nos enfants ne sont pas élevés selon nos critères, nous nous sentons
incapables d'y remédier.

Les parents éprouvent fréquemment un tel sentiment d'impuissance face à leurs enfants. Dans certains cas, cependant, les parents
se sentent dépassés par les événements et incapables de les contrer,
comme s'ils avaient complètement perdu leurs enfants. Songez à la
douleur de ces parents dont les enfants s'éloignent en raison de
l'alcool, de drogue, de leur appartenance à une secte, d'une pro-
pension aux fugues, d'un séjour derrière les barreaux ou dans un
centre d'éducation surveillée. Et comment parvient-on à résoudre
son sentiment de culpabilité et son impuissance quand notre enfant
a été victime de viol ou d'abus sexuel de la part d'un inconnu ou
d'un autre membre de la famille? Qu'en est-il de l'impuissance que
nous ressentons devant des enfants adoptifs qui ne se sont jamais
fusionnés à nous, devant nos propres enfants qui préféreraient vivre
avec le conjoint dont nous sommes séparés, devant les enfants de
notre conjoint qui nous tyrannisent et nous assurent que nous ne
serons jamais à la hauteur de leur «vrai père» ou de leur «vraie
mère»? Enfin, qu'en est-il de la plus grande impuissance de toutes,
celle que nous ressentons quand notre enfant meurt?

Ces problèmes affectent la vie de millions d'entre nous en
détruisant nos illusions sur la nature idyllique de la vie de famille

et en nous obligeant à faire face à notre impuissance, notre perte de contrôle, notre tourment, accru par le tourment généralisé de la société dans laquelle nous vivons et dont tant de nos ennuis sont issus.

Le deuil détruit nos illusions: nous ne pouvons pas tout arranger; plusieurs choses sont indépendantes de notre volonté; nous ne pouvons pas toujours gagner. C'est difficile à accepter. Tout à coup, les tactiques auxquelles nous recourions pour préserver ces illusions nous sont enlevées et nous perdons pied.

C'est là un deuil particulièrement pénible pour les hommes. Leur univers se fonde sur le travail et le pouvoir, sur la réussite, le gain et l'art de résoudre les difficultés. Dans nos sociétés, les hommes ont moins que les femmes le droit de montrer leurs émotions et leur vulnérabilité, ce qui affecte grandement leur capacité à vivre adéquatement leur deuil. Notre culture a beau être relativement ouverte au deuil d'une femme, surtout à celui d'une mère, fort peu de mythes accueillent avec compassion les pertes subies par un homme ou un père.

J'ai pu constater de grandes différences dans la façon dont les hommes et les femmes vivent leur peine et l'intègrent dans leur vie dans ces périodes critiques de transition. Les hommes qui, souvent pour la première fois, affrontent ce terrible démon du «deuil» semblent en effet préoccupés par des questions propres à leur sexe et ne les dévoilent que s'ils parviennent à verbaliser leur souffrance: l'impression de devenir fou, de ne pouvoir agir, d'être impuissants devant la réalité.

### Le récit de la sage-femme

Johanne, la sage-femme qui a accouché bon nombre de mes amies, m'a beaucoup parlé de l'impuissance des hommes lors d'une interruption de grossesse ou de la mort d'un enfant.

Le décès d'un enfant, quel qu'il soit, est plus bouleversant pour un homme que pour une femme en raison des idées reçues quant à la participation de l'homme dans l'éducation des enfants. La grossesse et les soins du bébé naissant sont vues comme des responsabilités de femmes. Il peut être très difficile pour un homme de savoir où il se situe dans tout ceci.

Les hormones aident les femmes à développer leur instinct maternel, que l'enfant soit viable ou non. La femme détient la preuve, dans son corps même, que quelque chose est en train de se produire, que la vie prend forme, puisqu'elle sent le bébé bouger en elle. Ce n'est pas le cas de l'homme, et c'est pourquoi il y a parfois un tel gouffre entre les sexes lors d'une grossesse, en particulier lorsque cette grossesse est interrompue. La femme voudrait que son homme partage son enthousiasme, ou sa peur, ou son deuil de la même façon qu'elle les ressent. Elle voudrait que cela ait autant d'importance pour lui que pour elle.

Ce qu'elle souhaite, au fond, c'est sa participation. Mais le pauvre homme est très désavantagé dans une telle situation. Il perçoit la réalité d'une autre façon. Il sait que sa femme a des nausées matinales, qu'elle urine plus fréquemment et qu'elle parle toujours du bébé. Il sait, dans sa tête, qu'il sera bientôt père. Mais ses hormones à lui ne lui donnent aucune pensée ou aucune sensation particulière. Il lui manque quelque chose.

Quand survient une fausse couche au début de la grossesse et parfois plus tard, l'homme s'inquiète généralement davantage de sa femme que de son bébé. Il ne ressent peut-être pas encore la mort de l'embryon comme une perte. Je crois que la plupart des hommes ne prennent pas conscience de la réalité du bébé avant de le tenir dans leurs bras.

Une fausse couche est une source réelle de conflit pour l'homme, car il aimerait pouvoir ressentir ce que ressent sa femme ou sa compagne. Quand il y a mort du bébé, il voudrait pouvoir partager pleinement son deuil et lui venir en aide. Mais cette expérience est vécue d'une manière trop différente par l'un et par l'autre.

Quand le bébé de son ami Tom est décédé, Redhawk, un poète de mes amis, lui dédia ce poème. Il exprime la souffrance et le défi devant lesquels se trouve un homme en deuil d'un enfant.

*POUR TOM, DONT LE BÉBÉ EST MORT*
*C'est si dur pour un homme;*
*il n'a pas droit au réconfort*
*du douloureux travail, du corps défait,*
*de ce qui doit s'accomplir.*

*Pour toute consolation*
*il pose doucement sa main*
*sur sa joue*
*porte humblement avec elle son regard*

*sur cet intolérable Amour.*
*Il ne lui donne rien de trop;*
*son courage, c'est l'art*
*de détourner les yeux quand il le faut,*

*ou se taire,*
*ou la laisser à sa solitude.*
*Il grandit en rapetissant.*
*Son secours*

*est invisible; il cache*
*la main qu'il lui tend;*
*ainsi, il en aide aussi un Autre*
*dont le cœur bat doucement entre eux,*

*dont le souffle*
*lui caresse le visage*
*la nuit*
*quand elle se se tourne vers lui*
*pour doucement l'étreindre.*

*L'homme dont l'enfant est mort*
*est touché par la grâce:*
*humblement il se met en travail*
*et souffre à son tour*

*de porter le cœur de son enfant*
*de le mettre au monde*
*sous forme de bonté, d'altruisme,*
*de belle ouvrage accomplie*
*sans espoir de retour.*

## L'histoire de Pierre

Le récit de Pierre est un bon exemple du deuil tel que vécu par l'homme. Il n'a jamais eu d'enfants à lui, mais lors d'un divorce, puis d'une séparation, il a perdu ceux des deux conjointes qu'il a eues. Il s'est alors senti en perte de contrôle et acculé à l'impuissance.

J'ai eu deux relations de longue durée. La première s'est terminée par un divorce, la seconde par une séparation. Dans les deux cas, il y avait des enfants. Me séparer d'avec ma compagne a été très éprouvant. Me séparer de mes enfants a été, dans les deux cas, dévastateur.

La famille est très importante pour moi, j'ai besoin de la protéger, je sais ce que signifie se sentir responsable de sa femme et de ses enfants. Ce sentiment a été exacerbé par mes deux séparations. C'est particulièrement douloureux de savoir que la femme et les enfants que vous aimez sont quelque part ailleurs et que vous ne pouvez plus veiller sur eux. Tous les sentiments d'échec liés à une séparation sont essentiellement psychologiques; mais je parle de quelque chose de très différent qui est du domaine de l'instinct. Quand je vivais avec ma femme et mes enfants, je jouais le rôle d'un homme qui s'efforce de leur assurer un milieu stable et sûr. Oui. C'est une question de sécurité. Le mot est bien choisi. Perdre ce rôle de protecteur peut rendre un homme fou.

La rupture du lien entre un homme et ses enfants, entre un homme et une femme, est très douloureuse et elle perdure. Je me souviens qu'un an après notre séparation, mon ex-femme et sa fille vivaient à Santa Cruz et moi à Los Angeles. Quand j'ai su qu'il y avait eu un tremblement de terre à Santa Cruz, j'ai été pris de panique. «Anne-Marie et Chloé sont en danger», me suis-je dit. C'était comme si elles ne m'avaient jamais quitté.

J'ai honte de dire que, jusqu'au moment de ma séparation, je n'ai jamais très bien su ce qu'est un enfant, mis à part l'attachement qu'on développe avec eux. Les enfants n'ont pas encore perdu leur innocence, cette candeur précieuse que nous devons côtoyer. Elle me manque. Les enfants avivent la vie.

La vie, c'est pour les enfants. Pouvoir les aider est ce qui rend la vie digne d'être vécue. Je consacre beaucoup d'efforts à mon entreprise dans l'espoir de retourner auprès d'eux. Un homme privé de sa famille n'est qu'un vagabond. Il n'a plus de pouvoir. J'ai eu l'impression qu'on me jetait en dehors de la vie à coups de pied. Quand une femme vous met à la porte de son univers, elle vous met à la porte de la vie.

Ces deux séparations ont été les moments les plus pénibles de toute mon existence. J'ai élevé un mur de protection autour de moi en parvenant à me convaincre mentalement que tout allait à peu près pour le mieux. Mais je me suis laissé aller à un sentiment précis: j'ai éprouvé de la haine envers ma conjointe. Cela en choquera certains, mais c'est la vérité. J'aimerais que ce ne soit pas arrivé, mais j'avoue l'avoir longtemps haïe. Je l'ai détestée de s'être servie des enfants pour se venger. Je l'ai détestée de me les enlever. Ils voulaient vivre avec moi, mais je suis sûr qu'elle les en a dissuadés. J'étais un bon père, et je suis furieux qu'elle ait refusé de voir à quel point je leur étais dévoué.

Quand on est très attaché à des enfants et qu'on nous les arrache, c'est injuste. Je ne pense pas que les femmes se rendent compte à quel point les hommes sont dévastés quand elles leur font une chose pareille. Ma conjointe n'a pas perdu toute la famille; moi, si. Elle jouit encore de cette intimité. Je n'ai rien. Je ne crois pas que les femmes comprennent à quel point c'est important pour un homme. C'est si difficile. Ces enfants étaient ma famille, même si je n'étais pas leur père biologique.

J'ai parlé avec beaucoup d'hommes qui traversent un divorce ou qui sont séparés de leurs enfants depuis plusieurs années. Il n'est jamais facile de les ramener chez leur mère le dimanche après-midi, surtout quand ils sont petits. On en ressent toujours un vide.

C'est sans doute encore plus difficile quand un homme n'a pas d'amis intimes comme moi j'en ai. Sans leur appui, la vie serait intolérable. La perte des enfants, la perte du rôle de père est sans doute la plus grande épreuve que puisse connaître un homme. Je comprends pourquoi, dans notre société, il y a tant de violence envers les femmes et les enfants. Les hommes ne savent pas comment composer avec leur sentiment d'impuissance; ils boivent ou ils recourent à la violence physique. Les hommes sont souvent frustrés de ne pas avoir le choix. L'idéal masculin consiste à courir le monde et à avoir le choix. La garde des enfants est un des rares domaines où les femmes l'emportent presque toujours sur les hommes. La femme peut finalement dire: «Enfin! C'est moi qui commande!» C'est une de ses seules revanches possibles. Il faut tenir compte de cela.

Mes deux ex-conjointes me reprochent encore des tas de choses que j'ai faites ou que j'ai omis de faire. Je ne peux pas gagner. Même si je m'efforce de changer, elles souffrent tant qu'elles interprètent mes intentions comme cela leur chante. Je ne dis pas que les hommes n'ont pas fort à faire pour être plus présents dans leur relation de couple. Au contraire. Mais il faut que les femmes apprennent à nous pardonner.

## POUVOIR DU DEUIL DE LA FEMME

La crise de conscience dont les hommes font l'expérience à l'occasion d'une perte importante se manifeste de plusieurs façons, dont la plus irréfutable est le taux élevé de suicides chez les jeunes hommes. Et si les jeunes femmes ne s'enlèvent pas la vie au même rythme alarmant, on peut sans doute relier le nombre tout aussi élevé de grossesses non désirées à un sentiment similaire d'impuissance et d'angoisse.

La grossesse chez les adolescentes et la grossesse dont on refuse de prendre conscience sont souvent un appel au secours, une manière de redonner du sens à une vie dont la maîtrise nous échappe. Le fait, pour la femme, de savoir qu'elle peut concevoir un enfant peut être un moyen pour elle de s'affirmer provisoirement si, par ailleurs, elle se sent impuissante. Sylvie, une jeune divorcée et mère de deux enfants, nous a raconté comment elle a perdu ses illusions sur le mariage quand elle n'a su trouver d'apaisement à sa douleur et à sa piètre estime d'elle-même.

— J'étais obsédée par la maternité, avoue-t-elle timidement. Je me disais que je si pouvais créer des occasions de me dévouer, je me sentirais mieux. J'avais besoin de savoir que j'étais capable de devenir enceinte et de mettre des enfants au monde. La grossesse a éveillé mon innocence et m'a rassurée sur le fait que j'étais bien vivante alors que, le reste du temps, je niais tant de choses.

Pour avoir parlé avec bon nombre de femmes qui ont eu des enfants ou subi un avortement pendant leur adolescence, je suis convaincue qu'une jeune fille enceinte essaie de transmettre un message à sa mère, s'efforce de se réapproprier quelque chose, veut quitter la maison maternelle et faire sa vie. Mais la plupart du temps, on n'entend pas son appel au secours. Au contraire, la grossesse est cause de peines supplémentaires, et bientôt la situation devient complexe et embrouillée. Le projet inconscient de la jeune femme a eu l'effet contraire de ce qu'elle espérait. Elle ne reconnaît plus l'objet de son deuil: est-ce sa grossesse, son avortement, sa mère, soi-même? Est-ce tout cela à la fois?

Pour de nombreuses femmes, l'impuissance a fait (et fait encore) partie de leur vie. La femme est donc beaucoup moins étrangère au deuil que ne l'est son conjoint ou son compagnon. Particulièrement en ce qui concerne la naissance ou la mort, la femme doit sans cesse faire face aux institutions patriarcales – église, hôpital, système d'éducation – qui, toutes, prétendent «avoir ses intérêts à cœur», mais minent inconsciemment la relation qu'elle entretient avec son propre corps et avec sa sagesse intuitive. Notre innocence innée nous a de même été retirée dès l'enfance, le rapport au corps en tant que source de sagesse et d'apaisement a été érodé par le biais d'une glorification et d'une dépendance à l'ordre, à l'efficacité et à la technologie. Pour beaucoup, la naissance et la mort ont ainsi été reléguées à un contexte stérile et quelque peu carcéral. Même dans les meilleurs des cas, il est difficile de s'opposer aux diktats de la société. Quand les femmes doivent prendre des décisions extrêmement personnelles ou qu'elles doivent faire face à des réalités inattendues et bouleversantes, elles sont encore moins susceptibles de trouver la force de dire «non» ou, à tout le moins, «Une minute, s'il vous plaît».

Pourtant, les circonstances bouleversantes sont souvent le déclencheur de notre prise de conscience. Le traumatisme provoqué par la perte d'un enfant ou de la relation avec un enfant devient, pour bon nombre de femmes, un rite de passage, une initiation au deuil et, par conséquent, une initiation à un niveau plus profond de compréhension de soi. Marion Woodman a écrit que, pour la plupart des femmes, la compréhension de leur individualité passe par le corps.

> La sexualité, l'amour ou la perte d'un amour, la naissance, l'absence d'un enfant ou la maladie les précipitent soudainement dans le mystère de ce pouvoir qu'elles ne détiennent pas. Elles se voient forcées de s'abandonner à leur destin individuel[1].

## L'histoire de Corinne

Corinne, une amie à Susan et à moi, a vécu pendant des années derrière un voile d'impuissance avant d'être en mesure d'affronter ses émotions véritables. Un avortement subi dès les premiers temps de son mariage a irrémédiablement endommagé sa relation.

---

1. Marion Woodman, *Leaving My Father's House*, Boston, Shambhala, 1992, p. 210.

Toutefois, comme c'est le cas de beaucoup de femmes, selon Marion Woodman, l'avortement de Corinne fut aussi pour elle un rite de passage qui lui a permis d'accéder à une souffrance plus profonde que toutes celles qu'elle avait connues. Lors de son entretien, Corinne a pu parler de cette détresse initiatique, elle a été en mesure de pleurer le temps perdu et elle a ressenti du soulagement à pouvoir ainsi relater son histoire, à l'accepter et à l'intérioriser.

Quelques mois après mon mariage, je me suis mise à vomir tous les matins sans savoir pourquoi. Il ne m'est jamais venu à l'idée que je puisse être enceinte.

Tout mon corps se transformait; même mes lentilles cornéennes ne me convenaient plus. Mais je n'en voyais pas la raison. Après avoir subi des examens, j'ai été convoquée par mon médecin qui s'est calé dans son fauteuil en cuir, m'a souri et m'a dit, en posant ses doigts les uns contre les autres comme les hommes qui réfléchissent à un problème sérieux: «Eh bien! c'est très simple. Vous êtes enceinte.» Je me souviens d'avoir tendu la main pour toucher le rebord de son bureau en bois lisse et de m'y être agrippée. J'étais sous le choc. Abasourdie. Vraiment, j'ai failli tomber de ma chaise. Tout arrivait si vite, et je ne l'avais pas voulu.

Je suis rentrée à la maison de peine et de misère et j'ai tout déballé à Normand, mon mari. Sa réaction m'a étonnée.

— C'est bien ce que je me disais. Je m'en doutais, dit-il froidement et avec condescendance.

J'étais furieuse.

— Pourquoi ne m'en as-tu pas parlé? criai-je.

Je n'en croyais pas mes oreilles. J'étais enceinte depuis pas mal de temps déjà. En fait, j'approchais du délai où un avortement deviendrait impossible.

Mon mari a aussitôt pris la situation en main. (Quel homme!)

— Alors, très bien, fit-il, l'air de dire «Je domine la situation.» Voici ce que nous allons faire.

J'étais nouvellement mariée, j'avais peur, j'étais confuse, et tout et tout. Je n'ai pas songé une seconde à remettre son jugement en question. Avant notre mariage, nous avions «convenu» que nous n'aurions pas d'enfants. En fait, il s'était montré inflexible sur ce point, car il avait déjà deux enfants d'une union précédente. Mais je n'avais jamais fouillé cette question du point de vue de mes émotions. C'est une chose de prendre une telle décision avant que les circonstances ne nous y poussent; c'en est une autre quand l'enfant est là.

Que faire? J'avais une vingtaine d'années; j'avais l'impression que tout était de «ma faute» et je ne voulais pas créer de conflits en proposant à mon mari de garder le bébé. Toutes mes justifications névrotiques n'ont abouti qu'à l'avortement.

Nous en étions venus à cette décision et je l'ai assumée. Dieu merci, le personnel de l'hôpital a été très aimable. Mais ç'a été terrible. Je sens encore l'effet de l'appareil de succion. Je l'entends. On aurait dit qu'il aspirait tout l'intérieur de mon corps. Je savais que quelque chose vivait en moi. Bien sûr, l'embryon n'était pas parfaitement formé, mais il était vivant. Ce n'était pas comme si on m'avait enlevé une verrue ou si j'avais perdu mes cheveux. La matrice de «quelqu'un d'autre» était en formation en moi. Je n'arrive pas encore à croire que ce soit arrivé, que j'y aie consenti, que j'aie prétendu ne pas vouloir d'enfants.

Je comprends maintenant que celle qui ne voulait pas d'enfants, c'était ma mère. Pas moi.

Je suis longtemps restée sous le choc. Tout me paraissait fade et je me disais: «Eh bien! je suppose que je ne suis pas une personne très émotive.» Il ne me semblait pas permis, à l'époque, de ressentir de telles émotions. Longtemps après, plusieurs mois ou même plusieurs années après, je me suis souvenue de cet épisode. Et j'ai passé toute une nuit à pleurer la perte de cet enfant.

Normand m'a bien fait comprendre qu'il ne tenait pas à savoir ce qui me bouleversait. Il n'était pas méchant, pas du tout. Mais c'était clair et cela signifiait: «Manifestement, tu es là, je suis ici, nous avons une vie ensemble. Mais si tu te mets dans la tête d'être une femme et de faire des projets de femme, ne deviens pas sentimentale. Il y a des limites que tu ne dois pas franchir.»

Ce fut le début de la fin pour nous, même si notre mariage a résisté près de vingt ans. Mais devant sa réaction à ma douleur, je n'ai plus su lui manifester de tendresse. J'explosais plutôt de colère et de frustration. Nous n'avions pas d'autre moyen de communication. Il fallait bien que ma douleur s'exprime.

Je ne me suis pas confiée à ma mère. Nous n'avons jamais pu être intimes. Depuis toujours, elle me faisait comprendre qu'elle ne se sentait pas capable d'entendre ce genre de confidences.

J'étais très seule. Je n'avais pas de véritable amie à cette époque, car nous venions tout juste d'emménager. Plus tard, nous avons eu un cercle d'amis et j'ai pu me confier. Mais j'ai surtout vécu mon deuil toute seule.

Cela se produisait la nuit. La douleur m'envahissait, me touchait au plus profond de moi-même. Je me permettais de la ressentir sans scrupules. En fait, je me sentais plus proche de Dieu dans ces moments-là. La douleur me procurait une meilleure vue d'ensemble. Je crois avoir découvert ainsi que rien de ce que je posséderais ne parviendrait à me rendre heureuse. J'ai su qu'un enfant n'y parviendrait pas, surtout si j'en faisais un objet de possession.

Peu après, Normand a subi une vasectomie. Il ne m'en a jamais parlé; il a pris sa décision tout seul. Ce fut encore une fois un choc. J'aurais aimé que nous en parlions. Sa décision signifiait que je n'aurais jamais d'enfant, car, à cette époque, je n'imaginais pas de vivre sans lui. Plus tôt, je m'étais dit: «Il se pourrait bien que je change d'idée un jour, que je me sente suffisamment équilibrée pour avoir un enfant.» Mais sa vasectomie a tout bouleversé. C'était comme s'il m'avait claqué la porte au nez.

J'aurais dû comprendre que nous ne serions jamais vraiment heureux ensemble. Mais j'acceptais tout et je m'en culpabilisais souvent, comme si j'avais fait quelque chose de mal. Les huit premières années de notre vie commune, je me suis accrochée à mon mariage. Les huit dernières années, j'ai échafaudé des plans pour m'en sortir. Bien sûr, j'ai connu des moments d'enthousiasme, même des moments d'amour, mais l'idée que «cela ne pouvait pas fonctionner» germait en moi. Je prenais panique parfois à l'idée que je n'aurais jamais d'enfant ou une autre vie de couple.

Mon avortement remonte à près de vingt ans; pourtant, cela me bouleverse encore parfois. Il suffit que je voie une autre femme avec un enfant pour que cela me reprenne. Je pense à mon horloge biologique, je comprends que le temps passe et que, bientôt, je ne serai plus en âge d'avoir un enfant. Mais je comprends aussi que je ne veux rien forcer.

Cette époque de ma vie est très importante, très triste, et je ne peux pas la refaire. Si j'avais la chance de concevoir, j'accueillerais avec bonheur cette nouvelle vie. J'y pense. J'y pense encore.

### Des conseils?

Vers la fin de nos entretiens, j'ai demandé à Corinne ce qu'elle dirait à une femme vivant une situation similaire. Voici ce qu'elle nous a confié:

Si je connaissais une femme qui envisage de se faire avorter, je ne pourrais pas appuyer sa décision, mais je ne pourrais pas davantage me détourner d'elle. Je m'efforcerais de lui transmettre ce que j'ai appris, comment ma décision m'avait parue rationnelle à l'époque, parce que j'étais moi-même une personne rationnelle: «Pourquoi mettre des enfants au monde si c'est pour qu'ils soient traités comme ma mère m'a traitée?» C'est comme cela que le cerveau fonctionne.

Je n'essaierais pas de la dissuader, mais je lui ferais voir l'autre côté de la médaille: ce que j'ai découvert en vingt ans de réflexion. Je crois qu'il y a un autre aspect à considérer ici, au-delà du «désir d'avoir cet enfant» ou du «désir de ne pas avoir cet enfant». L'avortement n'est pas uniquement une question personnelle.

J'encouragerais toute femme à raconter son histoire ou à parler des souffrances qu'elle endure. À écrire aussi, parce que cela peut lui être d'un grand secours. Ce faisant, je suis moi-même devenue plus sensible à la souffrance des autres, à leur perte, et j'ai su que nous devons tous assumer les décisions que nous prenons tout au long de notre vie.

Il n'est pas question d'oublier, mais d'admettre et de ressentir. La souffrance nous remet les pieds sur terre, elle nous remet en contact avec cette poussière que nous sommes et avec cette affliction qui est le lot de tous: le fait d'être séparés de Dieu. Mais c'est une pensée trop lourde à porter, surtout au début. Les souffrances quotidiennes suffisent amplement. La tristesse de nos vies, la douleur du deuil, le manque... nous pouvons ressentir cela. C'est là que doit se situer notre point de départ.

## LE SOUTIEN DES AUTRES: UN REMÈDE À L'IMPUISSANCE

Malgré toute notre bonne volonté, l'impuissance est un fardeau trop lourd pour que nous le portions seuls. En période difficile, les tactiques que nous adoptons pour prouver que nous savons nous débrouiller seuls ne font en général qu'ajouter à notre solitude et à notre frustration. À long terme, il n'y a pas de substitut aux relations interpersonnelles. Les bras qui nous enlacent, les paroles apaisantes, ou simplement la présence muette d'un autre être sont ce qui nous relie à la réalité et ce qui nous assure que nous ne sommes pas seuls quand nous l'avons un peu oublié.

Les amis du même sexe sont particulièrement précieux quand nous souffrons. Les hommes ont besoin de savoir des autres hommes qu'ils ont droit à leurs émotions. La souffrance d'un homme est profonde. Au cours de nos entretiens pour les besoins de cet ouvrage, Susan et moi les avons entendus nous confier, souvent entre les lignes, leur besoin profond de partager leur souffrance avec des représentants de leur sexe. Certains, comme Michel, un père d'âge mûr, ajoute ce qui suit sur l'importance d'une relation de soutien entre hommes:

> Pendant les procédures de divorce et d'attribution de la garde de mes deux premiers fils, j'étais davantage porté à trouver un réconfort auprès des femmes. Malgré ma colère et mon agressivité envers elles, je leur demandais encore du secours. Je croyais à l'époque m'entendre mieux avec les femmes qu'avec les hommes. Beaucoup d'hommes sont de cet avis, et beaucoup de femmes disent mieux s'entendre avec les hommes. Mais la vérité est que nous avons peur de ce que nous pouvons découvrir à travers eux sur notre sexe, et nous les évitons.
>
> Il m'était facile de me servir de ma souffrance pour manipuler une femme et pour lui jeter de la poudre aux yeux. Mais cela m'était impossible avec des hommes. Ils devinaient tout de suite où je voulais en venir. Même si la vérité est parfois pénible à entendre, elle peut nous apaiser. Je ne m'étais jamais rendu compte à quel point j'étais confus avant que mes amis ne m'aident à en prendre conscience.
>
> Les hommes ont beaucoup de mal à se livrer. Nous avons peur de nous confier les uns aux autres, nous résistons. Mais quand nous parvenons à surmonter cette peur, c'est merveilleux.

Les hommes ont besoin des hommes et les femmes ont besoin des femmes en période de deuil. Les femmes ont besoin d'entendre qu'elles peuvent avoir confiance en elles-mêmes. Elles ont besoin de parler intimement de leur corps, du processus de la naissance, de leurs décisions à celles qui comprennent ce que signifie posséder un corps de femme.

Nous avons tous besoin qu'on nous rappelle que nous pourrons survivre et trouver la lumière, aussi sombre que soit le tunnel dans lequel nous nous trouvons. Ceux qui ont déjà parcouru le même itinéraire sont les mieux placés pour guider nos pas hésitants. (Consulter les passages sur les groupes d'aide et de soutien dans le chapitre 10.)

### Le processus de guérison de Pierre

L'histoire de Pierre, que vous avez lue précédemment, se poursuit ici. Le récit de sa guérison et de son évolution à la suite de la perte de la garde de ses enfants fait écho à celui de Michel et témoigne de l'inappréciable soutien qu'il a reçu, en particulier de ses amis.

Il est essentiel pour moi de faire l'impossible pour garder le contact avec mes émotions. Selon mon expérience, les hommes optent soit pour la révolte, soit pour l'insensibilité. Ils ne se laissent pas aller à avoir peur, à être tristes ou heureux, même si ces émotions sont nécessaires à leur guérison.

Pour éviter de m'engourdir, je passe beaucoup de temps seul, sans distractions d'aucune sorte. Pas de télé, pas de vidéos, pas de bière. Les émotions émergent d'elles-mêmes. Je passe aussi du temps en compagnie d'amis qui acceptent de parler de ce qu'ils ressentent. Même si j'ai de bonnes amies femmes, je dois admettre que c'est difficile de ne pas «profiter» d'elles. Soit qu'elles sont d'emblée maternelles avec moi, soit que je leur demande subtilement de l'être.

J'ai dû admettre ma perte. Cela n'a pas été facile. Mais j'ai dû assumer mon mal. Quand c'est devenu intolérable, cela m'a aidé de ne pas perdre de vue que la maîtrise de notre vie nous échappe et que nous ne sommes pas maîtres des récompenses et des punitions que le ciel nous envoie. C'est Dieu qui en est le maître, et il ne fait pas toujours ce que je souhaiterais.

Le secours des autres hommes est très important. Souvent, quand je suis trop bouleversé par ma perte ou quand j'ai envie de me venger de mon ex-femme ou de mon ex-compagne, j'appelle un ami. Il m'aide à prendre du recul quand je perds mon objectivité, et je puis vous assurer que je la perds souvent. Mais c'est de moins en moins fréquent.

Ce qui est étonnant, c'est que les hommes passent plus de temps, et de façon plus enrichissante, auprès de leurs enfants après leur divorce qu'avant. C'est mon cas. Le fait de se rendre compte de cela peut nous précipiter dans le remords, mais il n'y a aucune façon de contourner le problème. Il faut y faire face. La société dans laquelle nous vivons est en grande partie responsable de cela. Elle n'incite pas les hommes à être disponibles pour leurs enfants. De sorte que j'essaie de ne pas trop me blâmer pour mes erreurs passées.

Je m'efforce beaucoup de ne pas me servir des enfants pour combler le vide en moi ou pour me leurrer sur ma souffrance. J'essaie plutôt d'être présent et de les aider du mieux possible.

Ces circonstances ont été mon initiation à l'état adulte. Robert Bly dit que l'initiation se compose d'une forme de trahison suivie d'un pardon. Les hommes et les femmes se sont trahis, je pense. La femme qui parvient à pardonner à un homme devient une Femme. L'homme qui parvient à pardonner à une femme devient un Homme.

### La guérison de Robert

Vous avez lu, dans le chapitre 4, le récit de Robert, qui croyait perdre le contrôle et qui se demandait s'il n'était pas en train de devenir fou. Voici la fin de son récit, où il est question de l'aide qu'il a reçue et où l'on décèle clairement le thème du présent chapitre, l'impuissance.

J'aime beaucoup être avec mes enfants maintenant, même si ce n'est que pendant les week-ends. Bien sûr, au début je les voulais avec moi en permanence. Maintenant, je suis reconnaissant de ce que j'ai. La paternité ne se définit pas en mots et ne se mesure pas en temps. Cela va bien au-delà. Je me contente d'admettre l'existence de ma blessure et de vivre avec elle. Oui, une telle expérience nous fait mûrir, mais ce n'est pas non plus nécessaire de l'afficher.

Ce processus douloureux m'a mis en contact très étroit avec ma vie spirituelle. J'ai réorganisé tout mon système de valeurs. Je gagnais beaucoup d'argent, mais l'argent n'était manifestement pas la chose la plus importante dans ma vie.

Nos amis sont précieux dans ces moments charnières! Une vague connaissance, un certain Richard, a tout à coup fait partie de mon groupe de soutien et nous sommes devenus des amis intimes. Il avait divorcé et il en parlait librement avec moi. Il parlait franc et j'entendais tout. «Occupe-toi de toi, dit-il avec son habituelle désinvolture, parce que personne d'autre ne le fera pour toi, et tes besoins sont importants en ce moment.» Je crois que bon nombre d'hommes ne reconnaissent pas leurs besoins, sauf en ce qui a trait au sexe. Mais ce n'est là qu'un aspect de la question. Nous avons encore plus besoin d'amitié et de nous valoriser. Qu'un homme qui avait connu la même épreuve me dise ces choses m'a réconforté.

La compagnie des autres hommes me manquait beaucoup, de sorte que j'ai pris l'habitude de parler tous les jours à mon frère au téléphone. Il a été ma bouée de sauvetage. Même si nous n'avions pas grand-chose à nous dire, j'avais besoin d'entendre sa voix, d'entendre une voix rassurante. Ces conversations quotidiennes avec mon frère m'ont sauvé la vie. Je buvais ses paroles.

Maintenant que je suis en voie de guérison, je constate que d'autres hommes m'approchent de la même manière. Quand je vois qu'on retire quelque bienfait de ma présence, je veux en donner davantage. Bien sûr, il y a des tas d'hommes qui sont trop déconnectés de la vie pour se rendre compte qu'ils auraient besoin de moi.

J'espère que j'ai fini de blâmer les autres pour ce qui a cloché dans ma vie. J'espère que je ne rejetterai plus la faute sur mes semblables.

Mon conseil aux hommes dans ma situation est le suivant: n'essayez pas de vous venger, pour quelque raison que ce soit. Minimisez les répercussions négatives. Ne faites pas un plat de tout, même si vous avez l'impression que le ciel vous est tombé sur la tête. Dramatiser ne fait qu'aggraver la situation des enfants. Vivez ces circonstances avec toute l'élégance dont vous êtes capable, pour le bien des enfants. Ils ont besoin de vous. Puisez votre courage partout où vous le pouvez. Si vous avez besoin de prendre une maîtresse, faites-le si cela vous aide à conserver votre équilibre pour le bien de vos enfants. Soyez le meilleur père possible. Évitez de vous quereller avec votre ex-femme ou avec votre ex-compagne dans la mesure du possible.

Si le ciel vous est effectivement tombé sur la tête, dites-vous que cette souffrance vous aidera à élargir votre horizon. Les vagues de peine qui vous submergent font partie du portrait. Réfugiez-vous quelque part pour pleurer. Trouvez l'ami qui vous permettra d'être vulnérable et fréquentez-le. Vous ne comprendrez pas exactement ce qui ne va pas ou pourquoi ces choses vous arrivent à vous, même si vous vous y efforcez comme un diable. La douleur, c'est comme l'amour. C'est inexplicable. Les hommes parviennent difficilement à accepter cela, car nous avons appris que la rationalité passe avant tout. Eh bien! la rationalité n'a rien à voir avec la perte d'un enfant. Vous ne parviendrez jamais à trouver un sens à cela.

Tout passe. Vous n'y croirez pas au début, car lorsqu'on souffre d'un mal de dents, on ne pense pas à autre chose. Mais votre souffrance peut aussi aviver votre mémoire. Ce peut être le moment où Dieu, votre lieu de naissance ou la raison pour laquelle vous êtes sur cette terre se rappellent à votre souvenir. Quand on souffre, on écoute tomber la pluie. Quand on ne souffre pas, on a peur de se mouiller.

Nous nous efforçons toujours d'éviter de souffrir. Mais quand on perd ses enfants, sa femme, son rôle de père et de mari, son identité, on se trouve dans une situation qui nous empêche d'amortir complètement la douleur. On a le cœur en mille morceaux. Mais je crois sincèrement qu'on ne reçoit pas plus de souffrance qu'on est en mesure d'en supporter. Le corps et l'esprit sont miséricordieux. Ils se referment quand ils n'en peuvent plus.

Le monde entier est rempli de souffrance. Nous devons reconnaître cela. Et si vous pouvez vous approprier un peu de bonheur en cours de route, faites-le. Si vous pouvez donner de l'amour, faites-le. C'est votre seule arme. La souffrance est un bon maître et la vie est belle, même si certains jours sont vraiment merdiques.

Les êtres humains sont incroyablement coriaces. Ne l'oubliez pas. Vous survivrez.

### Pour votre journal intime

Dès le début de ce chapitre, j'ai dit que la perte fait partie de tous les aspects de la vie. Quand on réfléchit à tout ce que nous avons perdu au cours de notre existence, non seulement on en fait le deuil, mais on comprend que la perte est une dynamique essentielle à l'évolution des individus et de la planète tout entière.

1. Pour bien voir la place qu'occupe le deuil dans votre vie, tracez un calendrier linéaire depuis votre naissance jusqu'à aujourd'hui et indiquez-y les moments importants et les pertes que vous avez subies.

   Vous pourriez aussi vous arrêter à certaines périodes, par exemple, votre enfance, vos études élémentaires, vos études secondaires, votre adolescence, et énumérer pour chacune les choses et les personnes que vous avez perdues ou pleurées durant cette période. Par exemple: Pendant mon enfance, j'ai perdu: (complétez).

2. En ce qui concerne la perte d'un enfant et l'impuissance qui lui est associée, complétez les phrases suivantes. Elles vous aideront à prendre conscience de ce qui se passe, d'identifier plus clairement certaines de vos angoisses et de vous rappeler une fois de plus que vous n'êtes pas seul. Efforcez-vous de compléter ces phrases de plusieurs façons en donnant à chacune cinq ou six interprétations différentes.

Je me sens impuissant, incapable de dominer ceci:...

- Quand je ne domine pas la situation, je...
- Ce qui m'aiderait vraiment serait que...
- Je peux trouver de l'aide...

    Poursuivez en écrivant tout ce qui vous préoccupe en ce moment; écrivez aussi longtemps que vous en avez envie.

3. Concluez cet exercice en complétant la phrase suivante:

- Depuis que j'ai écrit ce qui précède, je...

# 7

# C'est injuste

> *Loin, loin dans l'obscurité du tombeau*
> *Ils vont, doucement, les beaux, les tendres, les bons,*
> *Ils vont en silence, les brillants, les spirituels, les braves.*
> *Je sais. Mais je n'approuve pas. Et je ne m'y résigne pas.*

> Tiré de *Dirge Without Music*,
> par EDNA ST.VINCENT MILLAY

Il est injuste qu'un enfant meure, qu'il soit séparé de ses parents, qu'il fasse partie d'un règlement de divorce. La perte d'un enfant perturbe l'équilibre et la justice des choses. Les jeunes et les innocents ne devraient pas souffrir; les parents aimants ne devraient pas perdre leurs enfants! La révolte et le ressentiment sont des conséquences normales de cette injustice et de cette impuissance. «Je ne m'y résigne pas», dit la poétesse, en frappant juste.

La révolte et le ressentiment ne sont pas des émotions anodines. Elles provoquent des comportements discutables, nous font élever la voix là où il n'est pas de mise de le faire. Quand avez-vous entendu quelqu'un se lamenter ou crier dans un hôpital? Habituellement, on calme le coupable avec des sédatifs ou on l'escorte vers la sortie.

Elisabeth Kubler-Ross, une pionnière dans le domaine du travail du deuil, a exprimé le souhait que chaque hôpital possède une «chambre des cris», un endroit où les patients et leurs

familles puissent se réfugier et donner libre cours à leurs émotions refoulées, en particulier la colère et la peine. Cette idée m'a toujours intriguée. Bon nombre de mes étudiants ont témoigné de la valeur thérapeutique du cri ou des lamentations. Certains se sont enfermés dans leur voiture pour crier; d'autres ont choisi un endroit isolé en pleine campagne; d'autres encore se sont contentés d'enfouir leur tête dans leur oreiller.

Malheureusement, il nous est encore nécessaire de nous réfugier dans un lieu isolé pour extérioriser notre colère ou même notre peine. La société est plus tolérante et plus compréhensive envers les hommes qui manifestent leur révolte, mais beaucoup moins envers les femmes. Une «bonne petite fille» ne se fâche pas. Depuis des générations, on nous entraîne à supporter la souffrance et l'injustice avec le sourire. Nous avons le droit de pleurer, mais si nous nous fâchons, nous courons le risque de nous voir affubler de l'étiquette honteuse de «salope». Donc, quand notre univers s'écroule et que nous cherchons une façon de prendre notre revanche, nous sommes dans une impasse.

## LES OBJETS DE NOTRE RÉVOLTE

Les personnes révoltées en ont contre l'injustice qu'elles perçoivent. Nous cherchons un bouc émissaire, quelqu'un à blâmer. Il est normal qu'en de tels moments nous dirigions notre colère contre quiconque croise notre route, mais surtout contre ceux que nous estimons responsables de la tragédie qui nous affecte. Cela inclut notre médecin, les personnes qui nous prodiguent des soins, les amis et le conjoint qui viennent à notre secours, notre ministre du culte, curé ou rabbin, qui s'efforcent de nous aider à comprendre ce qui se passe. Nous pouvons nous révolter contre la compagnie d'assurances qui ne couvre pas nos dépenses ou contre le quotidien qui ne publie pas notre lettre aux lecteurs. Nous pouvons nous fâcher soudainement contre des personnes qui jouissent de la compagnie de leurs enfants, ou contre nos propres enfants, pour tout le mal qu'ils nous ont causé.

Quand cette fureur est dirigée vers Dieu, comme c'est souvent le cas, elle peut beaucoup bouleverser la personne qui l'éprouve ainsi que ses amis et les membres de sa famille qui en sont choqués.

Mais comme le dit Kubler-Ross dans sa sagesse, qui peut prendre cela mieux que Dieu?

L'insensibilité des autres, qu'ils soient délibérément cruels, inconscients ou simplement curieux, peut nous tisonner au point même de nous effrayer.

Peu après avoir appris que son embryon de cinq mois n'était pas viable, mais juste avant de faire une fausse couche, Claudette a subi la curiosité envahissante de son voisin. Voici un extrait de la lettre qu'elle m'a écrite:

> Au moment où je saisissais la poignée de la porte patio, j'ai aperçu un visiteur devant moi. Un voisin. En fait, une connaissance de mon mari. «Salut, Mario», dis-je, prise de court. «Grégoire vient tout juste de partir et je suis en retard à un rendez-vous.» Nous avons parlé de tout et de rien en nous dirigeant vers ma voiture.
>
> Mario s'est appuyé contre notre familiale et a dit, à brûle-pourpoint: «Claudette, quand as-tu su, pas ton médecin, mais toi, quand as-tu su que quelque chose clochait?» Son assurance était celle d'un reporter de la télévision.
>
> J'étais choquée et blessée par sa question indiscrète et son manque de sensibilité. Les voici (me dis-je), je les sens, ces bandes élastiques invisibles qui m'enserrent le crâne et qui pressent contre mes tempes. L'adrénaline montait en moi par jets brûlants d'énergie. J'avais le vertige et la nausée; je me sentais prise au piège. Je ne percevais que de la curiosité malsaine dans sa question, pas de cœur, rien qui puisse me dire que je communiquais avec un être humain.
>
> En me laissant tomber lourdement sur le siège du conducteur, j'ai vu que Mario était toujours là, et qu'il attendait ma réponse. Je l'ai chassé d'un geste du bras et j'ai démarré avec brusquerie.

Claudette pouvait diriger sa colère contre quelqu'un et elle l'a fait. Si elle s'était retenue, elle aurait dirigé cette colère contre elle-même, elle se serait culpabilisée de sa réaction et de s'être placée dans une situation de vulnérabilité. Elle aurait sans doute tenté de la refouler complètement. L'engourdissement qui est le lot de tant de gens en période de deuil est souvent la conséquence d'une colère refoulée. À mon sens, la dépression est due à une émotion non exprimée, y compris la colère.

Il est plus sain, en général, de reconnaître l'existence de notre révolte ou de notre ressentiment plutôt que de les nier, même si on ne les exprime pas ouvertement. Une colère que l'on néglige affecte insidieusement la santé du corps. Mon collègue, le Dr John Travis, cite le cas d'«une femme souffrant d'un rétrécissement chronique du canal de l'urètre qui devait être dilaté mécaniquement environ tous les mois pour lui permettre d'uriner. En thérapie de groupe, elle s'est aperçue qu'elle voulait "pisser sur son mari", mais qu'elle n'avait jamais exprimé cette révolte. Le problème s'est résorbé quand elle a pu verbaliser ses émotions.» John poursuit en disant: «Je sais que certains cas d'impuissance, de douleurs menstruelles, de stérilité et de maladies vénériennes peuvent être associés à des émotions profondément refoulées», particulièrement en ce qui concerne la sexualité. John ne nie pas la nécessité d'un recours médical dans de telles circonstances, mais il préconise que «parallèlement à la médication on cherche les émotions refoulées qui sont vraisemblablement à la source du problème[1]».

De nombreuses personnes nient ou refoulent leur colère, car elles sont persuadées que le fait de l'exprimer pourra déclencher chez elles un comportement violent. Ce n'est pas le cas. La révolte peut s'exprimer en toute sécurité et même avec créativité, c'est-à-dire d'une façon qui ravive notre énergie perdue. On peut se libérer de la colère par des massages thérapeutiques ou en pleurant tout autant qu'en criant. Dans le chapitre 10, nous aborderons d'autres façons positives et saines de composer avec des émotions fortes.

### L'histoire de Linda

Linda s'est inscrite à mes ateliers plusieurs années après le décès de sa fille la plus jeune. Le récit qui suit, dont la rédaction faisait

---

1. John W. Travis, M.D. et Meryn G. Callander, *Wellness for Helping Professionals*, Mill Valley, Californie, Wellness Associates Publications, 1990, p. EE-11.

partie du cours, m'a été pénible à lire. Elle y décrit en toute candeur un réflexe de longue date, qui consiste à s'engourdir pour ne pas ressentir sa révolte et son impuissance. Mais ses propos sont inspirants lorsqu'elle décrit le courage qu'elle a dû rassembler pour assumer sa peine refoulée.

J'avais trente-deux ans quand Joëlle, la plus jeune de mes sept enfants, s'est noyée au cours de nos vacances familiales.

Mon mari l'a trouvée. Elle était dans l'eau à côté du quai. Il a tenté de la ranimer pendant que j'appelais le 9-1-1. Mais c'était trop tard. Elle a été déclarée morte par les ambulanciers. Je n'ai pas dormi pendant vingt-quatre heures. Nous avons refait nos bagages et nous sommes rentrés.

Annoncer la nouvelle à ma mère a sans doute été la tâche la plus pénible que j'aie eu à assumer dans ma vie. Puis je me suis souvenue que j'avais six autres enfants et que je ne pouvais pas me permettre de m'effondrer. Je me suis repliée sur moi-même. Dans les quarante-huit heures, j'avais nié mon propre deuil, j'étais engourdie, comme en transe, et je m'occupais de ma famille immédiate, de ma famille élargie et de mes amis. Leur détresse et leur douleur étaient devenues plus importantes que les miennes. Il n'y avait que dans la solitude ou en compagnie d'une personne qui ne m'était pas liée affectivement que je me permettais de vivre mon deuil.

Cette noyade fut un incident de plus dans un scénario qui m'était déjà familier. Quand je subis une perte traumatisante, j'entre en transe, j'engourdis mes émotions pour mieux veiller sur celles des autres et je prends tout en charge. Il a fallu le décès de mon enfant pour que ce réflexe commence à se transformer. Mais ce fut très long.

Quand j'avais trois ans, mon grand-père paternel a abusé de moi sexuellement. Quand cela se produisait, j'étais comme paralysée; mes jambes et mes pieds étaient dépourvus de toute sensation.

Au décès de mon grand-père, ma mère n'a pas su assumer son deuil, sa révolte et sa peur, et j'ai tout déversé sur elle. Elle a eu un autre enfant, une petite fille qui a pu détourner de moi l'attention de mon père. Le sentiment d'abandon que j'ai éprouvé alors m'a écorchée, mais je me suis engourdie à nouveau. Mon réflexe de défense m'a poussée à protéger ma mère et à faire l'impossible pour regagner ce que j'étais en train de perdre.

À quatorze ans, j'étais l'aînée de neuf enfants et j'assumais le double rôle de mère et d'épouse. À seize ans, je suis tombée enceinte et je me suis mariée. Je l'ai fait dans une sorte de transe. C'était ma porte de sortie.

J'avais quelqu'un d'autre sur qui veiller. Je pouvais faire comme si tout allait pour le mieux. Je dominais la situation (du moins, je le croyais).

Pendant douze ans après la mort de Joëlle, ma vie en fut une de grisaille; je souffrais d'une vague dépression chronique. Révoltée contre Dieu, je ne pouvais l'exprimer et je me culpabilisais de tout. J'ai même cru pendant un certain temps que Dieu m'avait punie parce que, tout en étant catholiques, nous avions décidé, à l'encontre des enseignements de l'Église, que Joëlle serait notre dernier enfant.

Il y a sept ans, j'ai entrepris une thérapie; thérapie du deuil, guérison, travail sur l'enfant intérieur. J'ai pu exprimer ma révolte envers Dieu, envers mon mari, mon grand-père et moi-même. J'ai enfin pu vraiment parler à mes autres enfants de la mort de leur sœur. Mes enfants en ont beaucoup souffert, et ce n'est pas fini. À mesure que leurs propres enfants parviennent à l'âge qu'avait Joëlle quand elle s'est noyée, leur peur est perceptible, surtout à proximité de l'eau. C'est incroyable tout ce qui se transmet de génération en génération.

J'avais perdu la faculté de rire. Toutes ces crises... ce n'est pas étonnant. Mais maintenant, depuis que je travaille à assumer mon deuil, ma spontanéité revient. Je me surprends parfois à rire et je me dis: «Mais d'où cela vient-il?» Mon rire m'annonce que je suis en bonne voie de guérison.

J'ai accepté beaucoup d'aspects de la mort de Joëlle, mais ma détresse ne s'apaisera jamais complètement. J'aurai toujours recours à mon réflexe d'engourdissement si je ne revis pas cet événement en toute conscience. La plupart de mes réactions étaient nécessaires à ma survie à cette époque. J'ignorais quoi faire et je ne savais pas quels étaient mes choix. Mais ces réflexes ne fonctionnent plus.

Tout est différent maintenant. Je comprends que tout a une fin, je traverse la vie les yeux ouverts et les pieds sur terre, je vis mes émotions, je les partage avec mes proches, je leur demande du secours, je prends soin de moi.

Il y a longtemps, je justifiais tout pour être en mesure de traverser une période de crise. Je me disais «Joëlle est là où j'aimerais que nous nous retrouvions tous un jour...». Maintenant que je parviens à accepter la situation, je me sens aussi incapable de lui trouver une justification. Il faudrait que Dieu me l'explique et que son explication me satisfasse! Je sais bien qu'une telle épreuve nous permet d'évoluer, mais à vrai dire, je préférerais que ma fille me soit rendue et trouver mon évolution ailleurs.

J'accepte que la mort soit une réalité de la vie, mais je ne m'y résigne pas.

## DE QUOI S'AGIT-IL? DE RÉVOLTE OU D'AUTRE CHOSE?

Linda a découvert qu'en se libérant de sa révolte elle pouvait accorder plus d'attention aux aspects de sa vie qu'elle avait laissés en suspens. Le fait d'assumer les émotions fortes qui la bouleversaient lui a beaucoup appris.

La révolte est riche de toutes sortes d'enseignements. De nombreux psychologues contemporains affirment que la colère est un signal de danger, une «émotion secondaire» dont l'émergence dissimule un réflexe plus primitif que la psyché accepte difficilement.

Mon mari Jere, par exemple, se fâche quand je trébuche ou heurte ma tête (je mesure un mètre quatre-vingt-dix, de sorte que je me frappe souvent la tête contre quelque chose).

— Zut! dit-il. Ce que tu peux être maladroite!

Dans les premiers temps de notre mariage, ce type de réaction suffisait à attiser ma colère.

— Espèce de crétin! Je me fais mal et tout ce que tu trouves à faire, c'est me le reprocher!

Mais à force de travailler ensemble à déceler les motivations derrière bon nombre de nos réactions habituelles, nous avons découvert qu'en se fâchant, Jere masque son appréhension, son sentiment d'inaptitude et sa tristesse.

— Si quelque chose t'arrive, m'a dit Jere à plusieurs reprises, j'ai peur. Je m'imagine ce qui adviendrait si tu n'étais plus là, et cela me fait beaucoup de peine. Mais puisque je ne me sens pas capable de t'exprimer mon affection, je me fâche, je te blâme, puis je m'en veux de t'avoir traitée de cette façon. J'ai du mal à accepter d'avoir honte, et ma colère sert aussi à masquer ce sentiment.

Nous procédons de la même manière pour dissimuler les émotions que nous causent nos enfants. La colère que nous ressentons à la perte d'un enfant ou d'une relation avec un enfant sert vraisemblablement à masquer une autre émotion trop douloureuse à exprimer.

Ce fut le cas d'Éléonore. La détresse qu'elle a ressentie face aux handicaps de ses deux enfants a pris la forme d'une révolte dirigée contre les éducateurs, l'administration, les autres enfants à bord de l'autobus scolaire. Sa colère cachait une peur intense et une grande tristesse.

### L'histoire d'Éléonore

J'ai découvert que je n'étais pas la mère normale d'enfants normaux dans une famille normale quand, juste avant qu'il entre à la maternelle, nous avons su que mon fils avait de graves difficultés d'apprentissage.

J'ignorais tout des difficultés d'apprentissage. À mes yeux, il paraissait normal et se comportait normalement, bien que j'aie été frustrée qu'il ne sache pas dessiner ou colorier, qu'il déteste l'eau, que ses chemises soient toujours sales sous le menton (il bavait et je ne m'en étais pas rendu compte) et que sa diction ne soit pas claire. D'autres adultes, dont quelques éducateurs, m'assuraient que tout allait bien, mais cela ne réussissait qu'à me confondre davantage.

Auparavant, je m'estimais responsable du fait qu'il ne savait pas dessiner ou de son manque d'aptitudes dans d'autres domaines. Je me disais que j'avais failli à ma tâche de mère. Le diagnostic médical m'a d'abord rassurée. Je savais enfin ce qui se passait. Tant de parents doivent affronter des problèmes qu'ils ne comprennent pas. C'est difficile de vivre un deuil quand on ignore la nature de notre perte.

Mes problèmes se sont accrus par la suite. Les parents des amis de mon fils refusaient de le laisser jouer avec leurs enfants parfaits, et après sa première année d'école j'ai dû me battre comme un diable pour obtenir des services scolaires adéquats. Certains enseignants estimaient que nous protégions notre fils à l'excès et refusaient de répondre à ses besoins spécifiques. Ma vie n'était que rejet, ostracisme, affrontements, persistance, appréhension, crises, inquiétude et détresse.

Par la suite, nous avons appris que notre fille de trois ans souffrait de diabète et qu'elle devait recevoir des injections quotidiennes d'insuline. Les mêmes problèmes scolaires et sociaux que nous connaissions avec notre fils se sont répétés. Les parents refusaient que ma fille joue avec leurs enfants. Les éducateurs avaient peur. Je crois que l'institutrice de première année m'a détestée avant même de faire ma connaissance. En général, on a réagi avec un insensibilité si grossière et de façon si blessante qu'une boule de RAGE m'étouffe. Je me souviens que, peu après notre arrivée dans un nouveau quartier, une petite «amie» de ma fille s'est levée dans l'autobus et s'est écriée, devant tout le monde, que ma fille «ne peut pas manger de sucre, celle-là, là-bas»!

Je conduis ma fille d'un médecin à l'autre. Le mois dernier, nous avons dû consulter un spécialiste, car on avait décelé des taches noires sur sa rétine. Ces taches annoncent un début de cécité. Elle n'a que onze ans. Il y a deux ans, elle a eu deux fois des convulsions, et les deux neurologues que nous avons consultés ont voulu la traiter pour l'épilepsie. Ce fut une année horrible. Ma peur et ma détresse grugent sans répit ma sérénité et mon bonheur.

Nous sommes à l'écart de tous. Ce qui est facile pour d'autres, par exemple une sortie ou un anniversaire, exige de nous beaucoup de planification. J'aspire à plus de liberté, j'aimerais que nous puissions être plus spontanés et plus créateurs avec nos enfants comme les autres parents le sont avec les leurs. Je regrette de ne pouvoir me réjouir quand ils prennent part à une activité. Je suis, au contraire, toujours à l'affût d'un problème éventuel.

Nous sommes une famille très unie et j'aime beaucoup mes enfants, mais quand je m'arrête pour respirer un peu, je dois avouer que le fait d'avoir dû renoncer à mes rêves et d'affronter chaque jour une nouvelle crise a été un fardeau très lourd à porter.

J'ai perdu ma normalité, mon identité, ma spontanéité. J'en fais encore le deuil. J'aimerais avoir un enfant normal, facile à éduquer, un enfant en santé et productif. Tout a été, tout est encore si difficile.

Je regrette que la souffrance de mes enfants soit encore plus grande que la mienne. Je me demande parfois s'ils sont vraiment en mesure de la supporter.

## Le processus de guérison d'Éléonore

Après la rédaction de son récit, Éléonore s'est arrêtée à réfléchir à la place qu'occupait la révolte dans ce processus. Elle s'est ensuite arrêtée aux différentes étapes de sa guérison.

Parler de ma perte par écrit a eu pour effet de me faire prendre conscience de la détresse qui sous-tend ma révolte habituelle. Cette détresse est plus fondamentale et extrêmement intense. La situation m'a affectée plus profondément que je ne l'avais cru. Est-ce que je pourrai un jour m'affranchir de cette appréhension et de cette angoisse? J'en doute, car je suis sans cesse devant de nouvelles «horreurs». Je me sens parfois submergée par la peur.

J'ai pour principale priorité de prendre soin de moi-même. Mais c'est difficile. Je dois faire des choses que les autres ne comprennent pas, car ils ne se rendent pas compte de la profondeur de mon angoisse ni à quel point la situation que je dois vivre est une source constante d'anxiété.

Je crois qu'à bien des égards les événements que nous avons dû traverser ont fait de nous une famille encore plus unie. Les enfants aussi s'en rendent compte. Mais le fait est que nous nous sommes toujours efforcés de leur donner le plus possible la liberté de se réaliser. Nous leur avons fait comprendre les conséquences de leur situation et nous leur avons laissé le choix de leurs décisions. Les enfants trop couvés par leurs parents en viennent à éprouver du ressentiment.

La thérapie que j'ai entreprise a été nécessaire et salutaire. J'ai également suivi des ateliers sur la gestion du deuil et de la perte qui m'ont aidée à prendre du recul. J'ai mis sur pied un groupe de soutien de parents, de façon à venir en aide à ceux qui traversent des situations de crise similaires.

Les amis qui m'appellent régulièrement et qui me demandent de nos nouvelles ont sans doute été mon plus grand soutien. Je m'étonne toujours de l'affection sincère qu'on nous témoigne. J'apprécie beaucoup de pouvoir exprimer mon inquiétude à quelqu'un qui sait m'écouter et qui m'aide à comprendre ce qui se passe.

Dans l'ensemble, j'en suis venue à m'en remettre à quelque chose de plus grand que moi. J'ai bien vu dans les yeux des médecins qui ont traité mes enfants que la puissance du corps médical a des limites. Il arrive un moment où ils ne peuvent plus rien faire. Je suis quotidiennement aux prises avec une situation qui me fait comprendre qu'une autre volonté que la mienne est à l'œuvre et que je n'y peux rien. Je ne dois pas perdre cela de vue.

Depuis quelque temps, je m'adonne à une thérapie corporelle; j'écoute mon corps davantage et je lui fais confiance. Il me dit ce dont il a besoin. Je commence à comprendre que mon cerveau était précisément ce qui freinait ma compréhension des choses. Maintenant, mes rêves me sont aussi d'un précieux secours.

Au bout du compte, on ne doit faire confiance qu'à soi-même, à son enfant et à une puissance supérieure. Tout ce que je puis faire, c'est prendre mes responsabilités au jour le jour. Parfois, c'est très difficile.

## FAIRE LE DEUIL D'UNE VIE NORMALE

Tout comme Éléonore, ceux d'entre nous qui ont perdu un enfant ou qui n'ont pu en avoir un pleurent avec ressentiment la perte d'une «vie normale».

Quand on souffre, la vie des autres nous semble toujours plus simple et plus belle. C'est sans doute vrai sous certains aspects. Quant à la «vie normale», c'est une tout autre histoire.

Si nous avons rêvé d'une «vie normale», d'une «famille normale» et d'«enfants normaux», ce mythe s'est propagé en nous avec persistance en creusant un vaste réservoir de mécontentement et de colère. Il diminue notre capacité à apprécier la vie telle qu'elle est, avec ses occasions de bonheur et de tristesse. Si quelque chose doit mourir, c'est ce mythe. Nous devons le dévoiler pour ce qu'il est, puis en faire notre deuil, tout comme nous faisons le deuil du père Noël ou de l'utopie. Sinon, nous nous condamnons à une vie de frustrations et de souffrance.

Vraisemblablement, la normalité que nous pleurons est notre soif d'amour. Puisque bon nombre d'entre nous n'avons jamais vraiment senti que nous avions une place ici, et que nous n'avons pas vécu une fusion suffisante avec nos parents pour apprendre à aimer et à avoir confiance en nous, nous persistons à rechercher ailleurs quelque chose ou quelqu'un qui puisse apaiser notre soif d'amour. Il est plus facile de s'illusionner sur une vie normale et pleurer son absence que d'assumer notre état primordial, c'est-à-dire un sentiment d'inachèvement, ainsi que la confusion, l'ambivalence et l'insécurité qui en découlent.

Quand nous faisons le deuil d'un enfant, nous aspirons douloureusement à cette normalité. Si nous nous permettons d'affronter, puis de chasser notre rêve d'une vie parfaite, nous parvenons à faire le deuil de ce que dissimule une telle illusion: le manque d'amour et la perte de notre innocence.

Mais cela aussi est une illusion: j'ai pu m'en rendre compte. Nous n'avons jamais perdu notre innocence, nous l'avons simplement occultée provisoirement. L'amour vit toujours au cœur de l'Être. Il n'est peut-être qu'une étincelle, mais il n'en brille pas moins.

## À CHACUN SON DEUIL, À CHACUN SON RYTHME

Chacun vit son deuil à son rythme. Souvent, le deuil du père, de la mère ou d'un autre membre de la famille prend fin quand un autre membre de la famille commence le sien ou surmonte à peine le choc initial. Les conjoints et les membres de la famille assument le plus souvent des rôles complémentaires au début: une personne prend la responsabilité des détails pratiques et veille sur les autres, tandis que ceux-ci restent en retrait ou se renferment. Quand la personne la plus «forte» plonge à son tour dans le deuil, les autres sont désorientés devant ce changement au scénario. La situation donne alors lieu à une révolte extrême et à des affrontements, ou dégénère quand chacun s'enferme dans son isolement.

Sachant cela, on peut parvenir à maintenir une bonne communication pendant la durée du deuil.

Il est très destructeur de croire que votre conjoint n'éprouve aucune émotion ou ne vibre pas suffisamment tout simplement parce qu'il n'exprime pas ses émotions de la même façon que vous le faites. Les femmes surtout ne doivent pas perdre de vue que les hommes peu expressifs ressentent quand même des émotions profondes. En fait, l'émotion de l'homme est souvent plus éprouvante encore, car il doit l'assumer sans être en mesure de l'exprimer.

Lors de séparations ou de divorces, j'ai souvent entendu l'un des conjoints se révolter et se plaindre de ce que «cela ne semble même pas le préoccuper. Il a toujours le sourire aux lèvres comme si de rien n'était.» Nous devons prendre conscience du fait que l'autre personne souffre autant que nous. Ce qui est évident pour une tierce personne est souvent invisible aux yeux des conjoints eux-mêmes. L'un des conjoints ne peut que constater que l'autre continue sa vie de tous les jours sans dommage apparent, tandis que lui-même est désorienté et est la proie d'une affliction profonde. Les projections de la pensée magnifient souvent notre détresse et notre souffrance.

Un des plus grands bienfaits du recours aux autres est que nous recevons d'eux une information plus objective quant aux effets de ces projections mentales.

Parfois, nos deuils se terminent bien, parfois non. Parfois, la situation empire au lieu de s'améliorer. C'est alors que nous devons nous rappeler que le deuil est un processus continuel, cyclique, que nous aurons sans doute encore besoin d'aide, même si nous avons «fait une thérapie» ou que nous avons déjà beaucoup pleuré notre perte.

Michelle, dont la relation avec son fils a été détruite par la toxicomanie de ce dernier, son incarcération et sa désaffection, a beaucoup pleuré cette perte, mais sa révolte et sa colère sont sans cesse ravivées par les violences répétées que lui inflige son fils. Michelle ne parvient pas à guérir complètement. Sa blessure demeure ouverte.

Ce qui aidera Michelle est essentiellement ce qui aide les autres: la possibilité de raconter une fois de plus son histoire. La conversation que nous avons eue a été très importante. Elle a eu lieu après un isolement long de plusieurs mois.

Converser avec vous m'a fait un bien immense. J'ai pu voir clair dans mes sentiments au lieu de toujours ruminer les mêmes pensées et en sortir encore plus embrouillée. J'ai pu m'affirmer comme être humain. Par-dessus tout, j'ai découvert que mes pensées et mes sentiments à l'égard de mes enfants et de moi-même sont normaux, même s'ils ne sont pas uniquement faits d'«amour et de lumière». En fait, j'éprouve beaucoup de colère et de ressentiment. Cela m'a fait du bien de pouvoir en parler à quelqu'un sans risquer le mépris. Le fait d'affirmer une fois de plus que je dois imposer des limites plus strictes à mon fils m'a aussi beaucoup aidée et m'a fait prendre conscience du fait que je devrais poursuivre ma thérapie.

Michelle est sans cesse brisée, elle se raccommode, se brise encore et poursuit sa route. C'est une survivante. Elle trouve du secours, elle travaille sur elle-même, elle s'efforce de vivre ses émotions le plus honnêtement possible tout au long de son processus de deuil.

## LA RÉVOLTE, LA DÉTRESSE ET LA CONDITION HUMAINE

La perte d'un enfant met en lumière l'inaptitude de nos moyens d'expression et de nos rituels quand il s'agit de rendre avec exactitude la profondeur de la souffrance humaine. Lors d'un deuil, il est très difficile de se contenter de gentillesses. Que pouvons-nous dire qui puisse consoler véritablement la personne qui souffre? Quels mots pouvons-nous employer pour lui faire part adéquatement de nos sentiments? Nous sommes démunis. La plupart du temps, nous ressentons un profond malaise et, si nous avons la franchise de l'admettre, nous éprouvons aussi du ressentiment envers la personne dont la souffrance s'immisce dans notre vie. C'est normal. Pour ceux d'entre nous qui sont révoltés ou impuissants à exprimer leurs besoins, les remarques hésitantes et les euphémismes des autres sont autant de blessures.

Le deuil nous rappelle avec éclat que toute vie a une fin: pas seulement celle des enfants que nous avons perdus, mais la nôtre également. Toute perte ravive en nous le souvenir de nos autres deuils, ceux du passé et ceux de l'avenir. Puisque la plupart des gens éprouvent un grand malaise à la pensée de la mort, leur appréhension se reflétera dans leur façon de vivre un deuil.

Toute perte est une sorte de mort. Chaque fois que vous sentez l'aiguillon d'une occasion perdue, d'une perte de contrôle, chaque fois que vous devez avouer ne pas savoir quoi faire ou vous être trompés, vous «mourez» un peu. Mais ce n'est pas forcément une expérience négative; cela peut même être la métaphore d'une vie bien remplie. L'«habitude» consciente de la mort peut nous aider à rester humble, à demeurer un débutant. Tout comme le fait d'inspirer et d'expirer l'air de nos poumons, la vie et la mort sont des aspects complémentaires d'un seul et même processus. Tout ce qui vous rappelle cette continuité vous offre une petite occasion de plus de vous réconcilier avec le cours naturel de l'existence. La pratique des petites morts peut aussi jeter un éclairage différent sur vos pertes plus importantes.

Cette vérité est au cœur des grandes traditions spirituelles. Jésus a dit: «Si le grain de blé tombé en terre ne meurt pas, il demeure seul; mais s'il meurt, il porte beaucoup de fruits.» (Jean, 12:24) Platon, à qui on demandait, sur son lit de mort, de résumer sa vie, exhorta ses disciples à «s'exercer à mourir».

**Pour votre journal intime**

1. Ce premier exercice est destiné à vous aider à déceler les aspects de votre perte que vous avez acceptés et ceux avec lesquels vous devez encore vous réconcilier. Mettez cette information à profit pour explorer davantage vos pensées et vos sentiments quant à cette perte. Donnez à chacun des énoncés tronqués suivants autant de conclusions que vous le désirez.
   - En ce qui concerne ma perte, j'ai accepté...
   - En ce qui concerne ma perte, je n'accepte pas...
   
   Relisez ce que vous avez écrit. Développez chaque énoncé en l'expliquant ou en le clarifiant. Pour ce faire, ajoutez les mots *et* et *mais* à la fin de chacune de vos réponses, puis continuez la phrase. Voici ce que j'ai moi-même écrit récemment: «En ce qui concerne ma perte, j'ai accepté que je ne pourrai jamais avoir d'enfants par moi-même, et je veux malgré tout célébrer ma féminité.»

2. J'ai dit dans le présent chapitre que chacun fait son deuil à son rythme et à sa façon. L'exercice qui suit doit vous aider

à explorer certaines de ces différences en ce qui vous concerne. Vous avez sans doute «partagé» votre perte avec une personne du sexe opposé, conjoint, ami ou autre membre de la famille. Vous avez sans doute jugé et compris son deuil d'une manière différente du vôtre.

Notez les réactions de votre conjoint, de votre amant, de votre maîtresse, ou de votre ami à cette perte. Qu'attendiez-vous de cette personne à ce moment? A-t-elle été en mesure de vous donner ce que vous attendiez? Qu'attendez-vous d'elle maintenant?

3. Puisque toute perte nous met en contact avec la perte suprême, c'est-à-dire la mort, il serait bon que vous puissiez rédiger un texte sur votre propre mort.

• Que craignez-vous de la mort: appréhendez-vous de souffrir, d'être invalide, impuissant ou amputé, avez-vous peur du jugement de Dieu, de l'inconnu, de quitter votre famille et vos amis, appréhendez-vous la souffrance de ceux que vous laisserez derrière? Explorez n'importe laquelle de ces considérations.

• Quelle était l'attitude de vos parents face à la mort?

• Quelles questions vous posez-vous concernant la mort?

• Si vous avez des enfants, avez-vous déjà parlé de la mort avec eux?

4. Résumé: Quand vous aurez complété ces exercices, écrivez ce qui suit:

«Depuis que j'ai écrit ceci, je...» et complétez cette phrase d'autant de façons que vous le désirez.

# 8

# Quelle est la bonne solution?

*On ne saurait prendre la «bonne» décision.*
*On ne saurait que prendre la «meilleure» décision.*

MARTHA G.

Je me souviens d'une définition du concept de tragédie, murmura Antoinette, une jeune femme en âge d'étudier à l'université qui se débattait avec la décision de subir ou non un avortement.

Nous prenions le thé dans un coin isolé d'un restaurant élégant. Les mains d'Antoinette jouaient avec le sucrier. Elle en enlevait le couvercle, regardait les sucres, refermait le couvercle, tandis que nous parlions de tragédie.

— C'est une définition que nous a donnée notre professeur de littérature en onzième, sœur Joséphine, poursuivit Antoinette. Cette chère vieille religieuse n'aurait pas su reconnaître une tragédie si elle avait trébuché dessus. «La tragédie, dit-elle d'une voix traînante, c'est quand deux êtres humains affrontent la même situation et que chacun des deux opte pour une solution diamétralement opposée à celle de l'autre.»

Antoinette ricana, puis soupira, écrasée par le poids de ses propres pensées. Je me taisais, tout ouïe.

Antoinette poursuivit:

— Je n'ai jamais oublié cette définition. J'imagine que c'est pour cette raison que l'avortement est un sujet si brûlant dans

notre pays. Je suppose que c'est en partie la raison pour laquelle j'ai tant de mal à prendre une décision. Je sais que je porte en moi ces deux êtres différents, ces deux points de vue.

Peu de temps après notre rencontre, Antoinette se fit avorter. Mais comme des millions de femmes qui prennent cette décision chaque jour, elle ne fut pas exempte d'un questionnement douloureux et de beaucoup de souffrance.

Les femmes qui se font avorter ne semblent pas toutes en souffrir par la suite, je le reconnais. Plusieurs se félicitent d'un choix qui leur semblait juste, et elles s'en réjouissent. Mais mes ateliers sont fréquentés par celles pour qui cette décision fut très difficile et pour qui l'interruption de leur grossesse a entraîné des problèmes émotionnels persistants.

Antoinette, par exemple, qui participa à mon atelier sur la santé holiste deux ans après son avortement, dessina un portrait grandeur nature de son propre corps dans le cadre d'un exercice de conscience de soi. La plus grande partie du corps était de couleurs pastel et décoré de symboles attrayants et positifs. Mais le bas du tronc était de couleur foncée. Antoinette avait entouré son ventre et son vagin de traits gris.

Elle était encore en deuil.

Le présent ouvrage n'a pas pour but d'aborder l'avortement ou toute autre perte d'enfant d'un point de vue éthique. Au-delà de ce qui est juste ou injuste, je me préoccupe du besoin de chacun de pleurer la perte d'un enfant né ou non né. Je crois que seul le deuil peut nous permettre d'accepter et, par conséquent, d'intérioriser les choix que nous avons pu faire.

Décision, choix, préférence: ce sont des mots dont nous nous gargarisons. Ils sont synonymes de liberté et d'indépendance. Contrairement à ceux qui vivent sous un régime totalitaire, nous avons la possibilité de voter pour des candidats différents. Nous avons la liberté de religion, nous optons pour le type d'éducation qui nous convient, nous choisissons notre détergent et la marque de jeans qui correspondent à nos moyens. Notre liberté de choisir et de satisfaire nos préférences est souvent vue comme l'indice d'une civilisation très développée. Mais quand il s'agit de subir ou non une intervention chirurgicale, de devenir ou non enceinte, d'interrompre ou non une grossesse, d'adopter ou non un enfant, d'avoir un enfant ou de ne pas en avoir, de faire ou non adopter son enfant, d'obtenir ou non la garde partagée, de prolonger ou non artificiellement la vie par des mesures extraordinaires, de recourir ou non à l'insémination artificielle, de s'engager ou non dans une bataille juridique... la liberté est, comme le disait une certaine personne, un réel déchirement. Nos choix multiples, les implications éthiques de ces choix, et la certitude de devoir vivre avec les conséquences de nos décisions, tout cela peut nous paralyser, nous hanter et nous épuiser.

— J'aurais voulu que quelqu'un d'autre me dise quoi faire, dit Danielle, en ce qui concerne une intervention chirurgicale délicate qui pouvait la guérir de la stérilité. Mais, bien entendu, mon médecin ne voulait pas et ne pouvait pas décider à ma place.

Nos décisions nous appartiennent.

Peu importe sa race, sa religion ou son état de santé, la femme qui doit prendre une décision au sujet de son enfant doit retrouver son chemin dans un labyrinthe intérieur tout en ayant l'impression qu'on l'exploite, qu'on l'humilie et même qu'on lui reproche d'être une mère imparfaite ou inapte à subvenir aux besoins d'un enfant. On la jugera peut-être complaisante et égoïste si elle choisit de ne pas avoir d'enfant ou si elle croit que son enfant serait plus heureux dans une autre famille. Elle se retrouvera très souvent dans une impasse.

Les conjoints des femmes affrontent les mêmes tribulations et éprouvent des sentiments similaires face à de telles décisions. Ils savent que ces décisions affecteront irrévocablement non seulement le reste de *leur* vie, mais aussi celle de leur enfant.

Ils doivent fonder leur décision sur une évaluation de leur situation à ce moment-là de leur vie. Cette évaluation peut être limpide et altruiste, craintive et égoïste, héroïque, douloureuse ou porteuse de soulagement. Ils font leur choix en fonction de ce qu'ils se savent capables d'accomplir à ce moment-là. Ils prennent la meilleure décision possible, sur le coup, et selon les circonstances.

Une dame de cinquante-deux ans, Angèle, qui fut pendant de nombreuses années ma collaboratrice, a évoqué avec compassion le dilemme qu'elle a dû affronter plus de vingt-cinq ans auparavant quand il s'est agi de prendre une décision pour le bien de son enfant.

J'ai fait de mon mieux dans les circonstances, je le sais. Il ne m'était pas possible de prendre soin de ce bébé et le père n'en était pas davantage capable. Les mères célibataires étaient exclues à cette époque. Je savais que je devrais renoncer à ma petite fille. Je savais aussi que je voulais pour elle ce qu'il y avait de mieux.

## L'histoire de Danielle

En sa qualité de membre d'un organisme venant en aide aux parents stériles, Danielle, une femme d'affaires dans la trentaine, parle au nom de nombreux parents quand elle décrit les terreurs et les frustrations associées à ce genre de décision.

Ma première grossesse a été marquée par une année entière d'examens et de médicaments contre la stérilité. D'autres femmes ont poursuivi un traitement pendant un certain temps puis, constatant que ceux-ci ne produisaient aucun résultat, elles essayaient autre chose. Il faut planifier ces traitements. Ils comportent tant de détails, tant de décisions: l'éventualité d'une chirurgie, les facteurs de risque, l'adoption. Il est facile de se sentir dépassé par les événements.

Arrive un temps où tout cela vous dégoûte. Ou bien vous persistez activement, vous vous efforcez d'en apprendre le plus possible sur la stérilité et sur toutes les options qui s'offrent à vous. Les omnipraticiens, les obstétriciens et les gynécologues ne peuvent pas toujours vous fournir les réponses que vous souhaiteriez, mais peu d'entre eux avoueront leur ignorance. Cela rend les choses encore plus difficiles.

Quand vous trouvez un spécialiste qui traite la stérilité, celui-ci ne se laisse habituellement pas impressionner par les personnes qui connaissent bien leur état. Il mettra sur pied un plan d'action qui vous donnera l'impression de progresser, mais, en même temps, il ne vous dira pas quand «cela suffit». Le spécialiste veut que vous ayez un enfant et, bien souvent, il n'y a pas de cause physiologique à votre stérilité. Donc, vous persistez. Le plan d'action conçu à votre intention ne prendra fin que si vous capitulez complètement.

La décision de capituler représente un problème majeur dans les cas de stérilité. Elle provoque beaucoup de stress et entraîne des tas de complications. Presque toujours, vous apprenez qu'on a développé une nouvelle technologie ou un nouveau traitement qui pourrait se révéler efficace dans votre cas. Je connais des femmes qui ont fait jusqu'à sept ou huit fausses couches et qui ont subi autant d'interventions chirurgicales.

Quand vous sentez que quelque chose se passe, si un médecin vous dit: «Cette intervention augmentera vos chances de 50 pour 100», vous vous laissez facilement enthousiasmer.

Pour certaines personnes, l'intervention chirurgicale marque la fin de leur traitement. J'ai pris des médicaments pour diminuer le volume de mes fibromes et cela m'a aidée quelque peu. Mais parfois, vous avalez tant de pilules que vous ne savez même plus qui vous êtes, car elles ont un effet sur votre humeur. Vous êtes obsédée par le désir d'avoir un enfant, vous lisez tout ce qui vous tombe sous la main sur le sujet, vous tentez n'importe quoi, et pendant ce temps-là votre corps nage dans les médicaments et vous priez pour que les effets secondaires à long terme ne soient pas néfastes.

Votre vie sexuelle change aussi beaucoup. Tout tourne autour de votre période d'ovulation. Vos cycles sont d'une importance capitale. Vous n'avez pas envie de faire l'amour et votre conjoint non plus. Il a l'impression d'être devenu l'étalon de service.

— Il faut faire l'amour ce soir, demain et vendredi, lui dites-vous.

Pas de voyage d'affaires et pas de camping. Votre vie se transforme. Quand vous dépensez beaucoup d'argent chaque mois pour des médicaments, vous ne tenez pas à rater le seul moment du mois où vous pourriez devenir enceinte.

Certaines femmes voient leur image d'elles-mêmes se transformer pendant un tel traitement. C'est parfois encore plus difficile quand c'est l'homme qui est stérile. Les hommes associent la stérilité et l'impuissance. Certaines femmes, qui avaient une belle estime d'elles-mêmes avant le traitement, emploient des mots tels que «grosse», «dysfonctionnelle», «laide» et «vide» pour se décrire.

Puis survient la fausse couche, et tout est fini. Le mot tabou. C'est un moment épouvantable qui ressemble à la mort. Personne ne peut comprendre l'étendue de votre douleur. Quand j'ai eu une fausse couche, mon mari l'a davantage intériorisée. Il trouvait à s'occuper. Il était surtout malheureux pour moi. Cela me bouleversait qu'il ne réagisse pas davantage. Il était plus analytique, comme si cela ne s'était pas vraiment produit. Après avoir tant essayé, voir que tout vous file ainsi entre les doigts peut être dévastateur. Vous perdez toute confiance en vous.

Même vos parents ne vous comprennent pas toujours.

— Personne d'autre n'a ce problème dans la famille.

Merci, maman. Disons que je suis une mutante. Je me suis quelque peu éloignée de mes parents après que ma mère m'eut dit cela, et nos liens se sont refroidis. Elle ne s'est pas donné la peine de savoir ce que je traversais. Pour elle, une fausse couche, c'est «et puis après?». Même les gens qui ont des enfants disent parfois des choses très cruelles: «Oh, les enfants, ce n'est pas un cadeau.» Ou encore, «Au fond, c'est pour le mieux.»

Comme dans tous les deuils, quand vous pensez en avoir fini, voilà que cela recommence. Au supermarché, peu de temps après ma fausse couche, j'ai aperçu une femme enceinte et une autre avec un bébé. J'ai failli perdre les pédales. J'ai dû déployer des efforts surhumains pour ne pas éclater en sanglots et devenir hystérique.

Après la fausse couche, l'avenir vous frappe en plein front: «Qu'allons-nous faire maintenant? Allons-nous recommencer une fois de plus?» Il n'y a pas que les médicaments qui rendent cette situation difficile. L'émotion que l'on vit est épuisante. Car maintenant, vous faites face à tout un éventail de nouvelles décisions.

Le fait de pouvoir parler avec quelqu'un est ce qui m'a le plus aidée. Écouter les récits des autres est une consolation et on peut en tirer une leçon d'humilité. Il est très important de parler à des gens qui ont connu la même situation que vous ou qui la vivent. Un groupe de soutien m'a été très bénéfique. Il s'agissait d'un organisme qui a su m'informer et me diriger dans le dédale d'options qui nous sont offertes: traitements médicaux, adoption, décision de ne pas avoir d'enfant. Il s'adressait aux couples et aux individus stériles. Rien ne vous oblige à vivre seuls cette situation.

J'avoue que les difficultés associées à nos traitements contre la stérilité nous ont rapprochés, mon mari et moi. Nous avons une fille, maintenant, mais ces jours sombres ne s'estompent pas comme par enchantement. Ils ont laissé sur ma vie une tache indélébile. Maintenant, nous sommes devant une nouvelle série de décisions à prendre: sommes-nous prêts et disposés à recommencer ce processus pour avoir un deuxième enfant? Récemment, dans une soirée, une jeune femme, m'apercevant en compagnie de ma fille, me demanda si je l'autoriserais à se frotter contre moi. Elle voulait devenir enceinte l'an prochain et elle désirait que ce soit une fille. Mon sourire amer la confondit.

— C'est une plaisanterie, dis-je pour la mettre à l'aise. Vous ne comprendriez pas.

## DES DOUTES ET DES CHOIX

Il se peut que vous connaissiez le doute, même après avoir arrêté votre choix. Par certains côtés, le deuil asssocié à votre décision ne sera pas terminé, même si vous avez complètement assumé cette décision. L'énergie que vous avez dû déployer pour faire certains choix vous incitera peut-être à reporter provisoirement ce deuil à plus tard, car il exigerait de vous une dépense d'énergie supplémentaire, énergie que vous ne possédez pas pour le moment. C'est bien ainsi. Mais vous devez être préparé à ce que votre détresse resurgisse de façon inattendue et parfois bouleversante: un souvenir qui vous tire de votre sommeil; un rêve où vous accouchez, où vous élevez un enfant. D'autres se laisseront surprendre par une pensée fugace en passant devant l'hôpital où elles ont subi un traitement, ou par un pincement au cœur lorsqu'elles croiseront dans la rue un jeune garçon dont l'apparence et l'âge leur rappelleront le fils qu'elles n'ont pas eu. Certaines pleureront. D'autres se révolteront. D'autres encore se contenteront de plonger dans leurs souvenirs et de pleurer leur perte en secret chaque année à l'«anniversaire» de leur enfant. L'affliction peut se manifester au moment même où vous prenez votre décision, peu après ou pas avant plusieurs mois. En ce qui me concerne, ma détresse s'accroît avec l'âge.

Près d'un an après son avortement, Jocelyne, une de mes étudiantes âgée de dix-neuf ans, écrivit: «J'ai cru que ton esprit se dissoudrait dans ton corps déformé, que tu disparaîtrais de ma vie dès qu'on t'aurait arrachée à moi. Onze mois plus tard, tu m'as retrouvée. Tu me suis partout en tenant ta poupée par les jambes, et tu me demandes pardon.»

Votre détresse initiale ou sa réapparition soudaine peut vous faire remettre votre décision en question. Il n'est pas rare que l'on voie à tort dans le deuil le signe que l'on a effectué un mauvais choix. Mais c'est faux.

Pour d'autres, ce seront des événements ultérieurs qui aviveront leur détresse ou provoqueront des doutes ou des regrets quant à leurs décisions passées. La femme qui se découvre stérile à trente-deux ans se souviendra de l'avortement qu'elle a subi à vingt et un ans. Le couple qui a attendu que le moment soit «propice» pour fonder une famille peut se rendre compte qu'il est maintenant trop tard. Les personnes qui vivent de telles situations se culpabilisent souvent ou ont l'impression qu'on les punit, même si leur raison leur dit que c'est faux. Dans ces cas-là, la participation à un groupe de soutien peut être salutaire. Il ne faut pas perdre de vue que tout nous apparaît plus clairement après coup. Si vous aviez su de quoi serait fait votre avenir, vous auriez peut-être pris une autre décision. Mais vous ne le saviez pas, et vous ne pouviez pas le savoir.

Quinze ans après son avortement, Marguerite éprouve encore une certaine détresse. Mais au lieu de nier sa souffrance, Marguerite a choisi de se tourner vers les aspects sociaux de l'avortement.

## L'histoire de Marguerite

Quand j'ai opté pour l'avortement, il m'apparaissait très important d'avoir la liberté de choix. Heureusement pour moi, l'avortement était légal dans ma région. La clinique des femmes était un lieu moderne et élégant, et mon expérience en fut facilitée. Mais je n'étais pas préparée à toutes les ramifications que cette décision impliquait, ramifications que je ne fais que commencer à comprendre quinze ans plus tard. Je n'en fais pas une question morale. Ce n'est pas aussi tranché.

En Inde, de nos jours, les familles ont recours à l'avortement sélectif en n'avortant que les fœtus femelles. On se dit: «Pourquoi ne puis-je avoir l'enfant que je souhaite avoir? Pourquoi n'aurais-je pas le droit de décider d'avoir une fille ou un garçon?» En réalité, les garçons sont mieux accueillis que les filles dans cette société, car les filles coûtent cher; quand elles se marient, les filles doivent avoir une dot que les parents démunis n'ont pas les moyens de leur offrir.

La question qui me harcèle est la suivante: «Que peut-on conclure de la nécessité d'accéder à un réel sens des responsabilités?» Je me sens prise au piège, comme un grand nombre de femmes, car je crois que le fait de priver une femme de sa liberté de choix constitue une forme d'oppression. Mais il est dangereux que les gouvernements légifèrent dans un sens ou dans l'autre, car chaque cas est unique. Il arrive fréquemment que la seule personne apte à peser le pour et le contre au mieux des intérêts d'une femme soit quelqu'un qui la connaît et l'aime depuis longtemps. Cette personne pourrait aider une femme enceinte à prendre une décision réellement réfléchie.

C'est un cauchemar pour moi. Il n'y a pas de solution facile, et cela m'afflige énormément.

### Qui dit «non»?

Un nombre considérable d'hommes et de femmes nés entre 1946 et 1955, la génération des «baby-boomers», n'ont pas d'enfants. En fait, si on les compare à la génération de leurs mères, les femmes baby-boomers sont deux fois plus susceptibles de ne pas avoir d'enfant. Dans ce groupe d'âge, une femme sur cinq est sans enfant, et cette proportion passe à une sur quatre chez les femmes possédant une éducation supérieure.

Certaines personnes veulent des enfants pour se guérir de leur propre enfance, d'autres décident de ne pas en avoir pour les mêmes raisons. L'idée de mettre un enfant au monde et d'exposer ce petit être sans défense aux mêmes tribulations que nous avons connues nous est parfois intolérable.

— Au moment de ma stérilisation, dit Élise, une artiste de quarante ans ayant subi une ligature de trompes à l'âge de vingt-huit ans, le monde me paraissait si dépravé que je trouvais inacceptable de l'imposer à des enfants.

Une autre femme justifie son choix par des «valeurs morales positives... puisque la présence de chaque Américain qui vient au monde sape inconsidérément nos ressources naturelles».

Il arrive aussi qu'une femme, n'ayant tout simplement pas envie d'avoir des enfants, y renonce en faveur de sa carrière professionnelle. Comme le dit un professeur d'université: «J'ai choisi de vivre en compagnie d'adultes, de travailler avec des jeunes possédant de la maturité.»

Certaines femmes, très résolues, ne regrettent pas leur décision, même si elles l'ont prise par défaut. Pourtant, en creusant un peu, on s'aperçoit que cette résolution n'est pas exempte d'une certaine détresse. Pour Josiane, brillante comptable dans une firme importante, les enfants sont «encombrants», constatation à laquelle elle est parvenue à l'adolescence en tant qu'aînée d'une famille nombreuse. Rita, dont la mère lui répétait à satiété qu'elle était stupide et jetait tout son dévolu sur sa sœur cadette, se méfiait des enfants. Rollande, quant à elle, était de l'opinion qu'elle ne possédait pas un sens des responsabilités suffisamment développé pour répondre aux besoins des enfants. Elle en était blessée, même si elle ne reniait pas sa décision et qu'elle l'estimait juste.

— La décision d'avoir ou non des enfants comporte un aspect curieux, me dit Ingrid.

Ingrid était âgée de quarante-neuf ans au moment de notre entretien et commençait seulement alors à comprendre toutes les implications de sa décision passée.

J'ai toujours eu la certitude que je pouvais changer d'avis, et c'était vrai. Mais le temps passe si vite; aujourd'hui, il est trop tard. Je ne me suis jamais rendu compte que cet ajournement s'étendrait à toute ma vie. Jusqu'à tout récemment. De sorte que je n'ai jamais pris conscience de la détresse qui l'entourait.

Même si je ne regrette pas ma décision et que je referais la même chose, je dois quand même vivre un deuil. Je pleure ce que je n'ai jamais eu. Je crois que des tas de mères pleurent la perte de leur indépendance, mais je pense que certaines d'entre nous avons à pleurer le fait que personne ne dépendra de nous.

Il arrive que ce soit le conjoint d'une femme qui décide de ne pas avoir d'enfant. Il a peut-être subi une vasectomie plus tôt dans sa vie ou dans un précédent mariage.

— Quand nous avons commencé à nous fréquenter, murmura Annick un peu honteuse, il m'a dit qu'il ne voulait pas avoir d'enfants et il a insisté pour que je n'essaie pas de le faire changer d'idée. Nous n'en avons jamais plus reparlé.

Certains hommes ne veulent pas ou ne se sentent pas capables d'assumer une autre paternité ou une paternité tout court. Les raisons qui les poussent à refuser cette responsabilité sont différentes pour chacun, mais leur blessure devient visible dès qu'ils parlent de leur enfance difficile. Gérald, un beau jeune homme dans la vingtaine et père de trois enfants nés de trois mères différentes, ne cohabitait avec aucune d'entre elles et déclarait ne pas avoir l'intention de le faire. Dans son enfance, il avait été étouffé par une mère possessive qui lui permettait rarement de s'éloigner d'elle.

— Je suppose que je prends ma revanche, dit-il.

Il grimaçait en prononçant le mot «maman».

L'absence d'enfant n'est évidemment pas toujours délibérée. La stérilité peut avoir une cause physiologique tant chez l'homme que chez la femme. Une hystérectomie, ou la possibilité qu'une grossesse mette la vie de la femme en danger, peut influer sur le choix d'un couple. Bien entendu, on a toujours le choix entre ne pas avoir d'enfant ou en adopter, mais de nombreux couples n'envisagent aucune de ces éventualités. Les couples ou les personnes seules qui optent pour l'adoption ou qui s'accommodent de l'absence d'un enfant dans leur vie ne sont pas exempts du deuil de leur aptitude à concevoir.

Certaines personnes veulent un enfant à tout prix, mais se refusent à en élever un en dehors d'une relation stable. Si leur vie est telle qu'elles ne trouvent pas le partenaire qui leur convient, qu'elles ne se marient jamais ou qu'elles divorcent avant de concevoir un enfant, leur désir ne sera pas facilement apaisé.

— Si c'était à recommencer, j'aurais un enfant quelles que soient les circonstances, dit une célibataire de cinquante-deux ans.

En ce qui concerne les normes de la société, certaines personnes trouvent difficile et même impossible d'élever un enfant. Le chemin à parcourir sera pénible pour la femme seule qui choisit néanmoins d'avoir un enfant. Les couples homosexuels qui désirent élever une famille doivent être prêts à assumer les conséquences sociales de leur décision, tant dans leur vie que dans celle de leur enfant. Un célibataire qui aime les enfants, mais qui ne désire pas se marier, fait face à des restrictions juridiques et des attentes sociales pratiquement insurmontables. La détresse qu'entraîne l'absence d'enfants dans la vie de certaines personnes est donc causée, en partie du moins, par la société dans laquelle nous vivons.

Les individus qui renoncent à élever une famille en raison de leur vocation – les religieux et religieuses ayant fait vœu de chasteté, ou encore ces personnes qui se dévouent à une cause les privant de toute vie personnelle – se convainquent sans doute trop facilement que leur sacrifice sera compensé par l'appel de la grâce. C'est parfois le cas. Les rares individus capables de sublimer leur sexualité ou leur instinct maternel ou paternel dans le dévouement aux autres trouvent dans ce choix un extraordinaire enrichissement spirituel.

Mais ceux qui n'ont pas honnêtement pesé toutes les conséquences de leur vœu de chasteté sont très nombreux. Ils ont pris une voie d'évitement spirituelle, ils se sont jetés dans un héroïsme prématuré dont les effets ne deviennent apparents que plusieurs années plus tard. Le taux d'alcoolisme est très élevé dans les rangs du clergé. Le taux de cancers de l'utérus est disproportionné chez les religieuses, ce qui me semble être chez ces femmes l'indice d'un déséquilibre dans leur rapport à la sexualité. Au cours des deux dernières décennies, un très grand nombre de religieuses et de prêtres, reconnaissant avoir perdu leur idéalisme initial, ont quitté la vie communautaire pour se marier et avoir des enfants, parfois après trente années ou plus de chasteté. D'autres ont préféré mener une double vie et ont des relations sexuelles clandestines, ils ont parfois même des enfants, tout en préservant la sécurité et le prestige de leur vie «monastique».

## COMMENT ASSUMER SES DÉCISIONS

Les étapes du deuil, telles que les a décrites Elisabeth Kubler-Ross, ont aidé les éducateurs et les thérapeutes à définir le schéma de la détresse, de la confusion et de la révolte que nous vivons forcément lorsque survient dans notre vie une perte inévitable.

Au cours de mes entretiens avec mes étudiants et mes amis concernant les pénibles décisions que nous sommes appelés à prendre relativement à la perte d'un enfant, j'ai pu constater que leurs réponses s'inséraient tout naturellement dans une des étapes définies par Kubler-Ross. La première étape est le refus. Chez certains, ce refus s'exprime par la certitude de ne rien ressentir.

— Je n'avais pas vraiment de décision à prendre, diront-ils; je ne voulais pas d'enfant de toute façon.

D'autres se faisaient des promesses fantasmagoriques qu'ils n'avaient jamais eu l'intention de tenir, ce qui équivaut à un refus subtil sous forme de perpétuel ajournement.

— Si je règle ma situation financière, j'adopterai un enfant, écrivit une femme d'âge mûr vivant seule.

— Un jour, quand j'aurai atteint un meilleur équilibre émotif... déclarent les autres.

La révolte, une autre étape du deuil, est souvent liée à la décision qu'on a prise ou à ses conséquences. Une femme se révoltait contre elle-même et estimait que sa vie était un échec.

— J'ai souvent l'impression de ne pas être normale, parce que je suis incapable de former une relation stable, me dit-elle.

Voici ce qu'écrit une autre femme à propos des nombreuses interventions chirurgicales qu'elle a subies dans le cours d'un traitement contre la stérilité:

> Personne ne m'a soutenue dans ma décision d'interrompre les traitements. Maintenant que j'y ai mis fin, je suis choquée de ce que j'ai subi. Comment savoir si vous êtes allée trop loin? Si vous êtes allée assez loin? J'aimerais pouvoir vous le dire. C'est différent pour chacune. On peut aller trop loin et le prix à payer pour cela est parfois élevé. Notre intuition devrait nous prévenir qu'on ne peut pas subir sept interventions chirurgicales aux organes reproducteurs sans que des conséquences majeures s'ensuivent. Je suis terriblement révoltée à la pensée que je n'ai pas su prendre un meilleur soin de moi-même et que mes êtres chers ne se sont pas occupés de moi non plus[1].

La tristesse ou la pensée obsédante des conséquences de notre décision constituent une autre étape du deuil, et un grand nombre d'hommes et de femmes avoueront souffrir physiquement à la vue d'une famille heureuse et unie. Pour Céline, les vacances et les réunions familiales sont particulièrement troublantes.

— Tous mes frères et sœurs ont des enfants. Naturellement, ils sont entourés d'attention lors de ces fêtes de famille. J'ai l'impression de devoir être extrêmement productive dans d'autres domaines pour parvenir à convaincre mes parents que j'ai apporté ma contribution à la société même en n'ayant pas d'enfant.

Édouard, dont la femme a subi une hystérectomie au tout début de leur mariage, me dit: «Le regard qu'ont les enfants pour

---

1. Jeanne Sedgwick, «Support to Stop», *RESOLVE Newsletter of Northern California*, février-mars 1992.

leur père, ce regard qui révèle une confiance absolue, de l'admiration, et même de l'idolâtrie... quand je vois cela, mon cœur se serre. Je suis triste de n'avoir pas eu le choix.» Comme tant d'autres, Édouard s'est résigné à sa vie «stérile» en se disant que c'est la volonté de Dieu ou un signe du destin. «Si nous sommes un jour appelés à adopter des enfants, je suppose que Dieu nous en donnera un signe», avouait-il. Il est facile d'interpréter ses raisonnements comme de la résignation. Mais en explorant ses sentiments plus à fond, j'ai pu constater que son attitude un peu fataliste se fondait sur une piètre estime de lui-même, sur l'impression qu'il n'avait pas le droit de prendre seul ses décisions, encore moins celui d'espérer quelque chose de la vie ou de Dieu. Il a fallu beaucoup de patience et de travail de sa part, et beaucoup d'encouragement de la part de sa femme, qui elle-même était bien engagée dans son processus de deuil, pour qu'il parvienne à regarder sa perte en face.

Les femmes sont faites pour porter des enfants et les hommes pour les concevoir, et malgré notre certitude intellectuelle ou spirituelle de ne pas avoir besoin d'enfant ou de ne pas en vouloir, nous devons assumer un deuil résiduel, la raison qui a motivé notre choix ou une attitude que nous n'avons jamais regardée en face. Ces raisons que nous n'avons pas encore pleurées, comme toute perte non assumée, peuvent affecter le corps (comme dans mon cas) ou le psychisme et nous conduire à nous en vouloir ou à douter de nous-mêmes. Faire le récit de notre histoire ou écrire sur les questions qui hantent notre cœur sont des actes qui nous permettent de déceler ces motifs, de les assumer, d'acquérir du courage au contact de la douleur et même d'apprécier la volonté de Dieu qui, en nous fermant une porte, nous force à en ouvrir une autre.

## L'histoire de Diane

Diane nous a relaté son histoire avec enthousiasme. Sa décision de porter son enfant à terme pour ensuite le faire adopter n'avait pas été facile, mais cette expérience avait marqué d'une pierre blanche son évolution et sa maturité. Elle nous fit part de sa certitude d'avoir fait le bon choix.

Le fait d'avoir un bébé et de le faire adopter n'est pas dévastateur pour toutes les femmes. On dirait que l'absence de réels rites de passage entre l'enfance et l'âge adulte nous projette dans une sorte de néant où il nous est impossible de valoriser et de donner tout son sens à notre entrée dans la maturité. Avoir un enfant, même si c'est en situation de détresse, est un rite de passage. C'est bien le plus beau cadeau que je me sois offert. Quand j'ai décidé de faire adopter mon bébé, je suis entrée de plain-pied dans la maturité et j'ai dû assumer une responsabilité que j'avais toujours refusée auparavant. Bien sûr, nous en sortons blessées, mais nous en sortons mûries aussi.

Les réactions de Diane face à sa grossesse ont été celles de bon nombre de femmes pour qui cette grossesse n'était pas planifiée: le refus, la tension croissante avec son amant, l'étonnement quand elle comprit enfin qu'elle était enceinte. Elle avait compliqué sa situation en vivant seule et en prenant la ferme résolution de travailler pour subvenir elle-même à ses besoins pendant sa grossesse. Elle dénicha un emploi d'aide familiale.

La première femme pour qui j'ai travaillé était d'une cruauté sans nom. Elle me dit un jour: «Je suis contente que mes enfants voient à quel point vous êtes malheureuse. Comme cela, ils ne feront pas les mêmes bêtises que vous.» Je suis restée dans cette maison quelques semaines, puis j'ai trouvé une place ailleurs. Cette fois, la femme qui m'employait m'a paru sympathique au début, mais il est devenu évident avec le temps qu'elle était avare et égoïste. J'étais enceinte de huit mois; j'avais toujours faim et elle rationnait littéralement ma nourriture.

Tout allait mal, mais je me rendais compte que j'étais «la maison» du bébé que je portais, que tout ce qui m'arrivait arrivait aussi à mon bébé. Je voulais lui donner ce qu'il y avait de mieux. Cela signifiait ne pas me prendre en pitié, ne pas faire de folies. Je savais qu'il me fallait être robuste et en bonne santé, au-dedans comme au-dehors. Je ne projetais aucune tristesse, aucune frustration, aucune souffrance. Je projetais de l'amour. C'était sincère. Je ne refoulais rien. Je savais que c'était nécessaire, et je le faisais.

Mon expérience a été positive et m'a aidée à grandir même si elle a été très pénible. J'ai fait de mon mieux dans les circonstances. À l'accouchement, j'étais en extase.

L'agence d'adoption m'a demandé si je voulais allaiter mon bébé. Au début, j'ai répondu par la négative, mais après réflexion j'ai décidé d'accepter. Je l'ai nourri trois fois par jour pendant trois jours. J'ai dû me forcer pour le nourrir à la bouteille plutôt qu'au sein. C'étaient des moments merveilleux, chauds et gratifiants. Je lui transmettais tout mon amour et je savais que ce n'était pas faute de l'aimer que je renonçais à le garder. Son appétit n'était pas très grand au début, mais au bout de quelques jours, tout allait pour le mieux. Cette expérience a été purificatrice, un achèvement pour nous deux, un moment de grande sérénité.

Mon corps s'est épanoui, je me suis sentie plus femme pendant et après ma grossesse. Je sentais que je bougeais mieux. J'étais moins raide. Je suis si reconnaissante à la vie de m'avoir donné un enfant, d'avoir pu le nourrir, d'avoir pu faire l'expérience de cette proximité et de l'amour qui passait de mon corps au sien. Je suis certaine qu'il a été voulu et aimé, que ce n'était pas un bébé imposé et mal aimé.

Diane a tendu la main vers la boîte de mouchoirs de papier et j'ai vu qu'elle retenait ses larmes. Elle avait affronté cette partie de sa vie avec assurance, mais après avoir raconté son histoire, des vestiges perduraient dont elle devait encore faire le deuil.

— Vas-y, Diane, lui dis-je avec douceur. Tu as encore quelque chose à dire, non?

Elle grimaça un peu, puis elle laissa couler ses larmes.

— Ce qui me manque, c'est de n'avoir pu le bercer plus longtemps et de ne pas avoir pu élever un enfant, poursuivit-elle en pleurant doucement. Je regrette de lui avoir donné le nom de son père, car il me sera plus difficile de le retrouver. Lui aussi aurait du mal à me retracer s'il le voulait. J'aimerais adopter un enfant maintenant. Si c'était possible, je le ferais.

Susan et moi sommes longtemps demeurées silencieuses après ces révélations. Diane semblait bouleversée. Au bout de quelques minutes, je lui ai parlé. Je lui ai raconté comment j'avais découvert qu'une expérience que nous jugeons positive peut néanmoins raviver des souffrances dans d'autres domaines de notre vie, des afflictions que nous n'avons pas encore totalement assumées. Diane approchait de la ménopause et savait que le moment où elle ne pourrait plus concevoir était proche. Ses souvenirs la propulsaient vers le prochain rite de passage dans cette vie de pertes et de deuils.

Il importe que nous comprenions que même si nous pleurons encore certaines pertes, cela ne signifie pas que nous n'avons pas accompli jusqu'au bout notre travail de deuil. Nos meurtrissures nous accompagnent tout au long de notre vie, nous évoluons grâce à elles, mais elles continueront de nous faire souffrir jusqu'à la fin. Rappelez-vous le célèbre poème de Robert Frost:

*Je dirai ceci avec un soupir*
*Loin loin dans le temps futur:*
*Une croisée de chemins en forêt, et moi –*
*J'ai pris le chemin le moins fréquenté,*
*Et c'est ce qui a fait toute la différence.*

## COMMENT PRENDRE LA MEILLEURE DÉCISION POSSIBLE

Une décision est rarement facile à prendre, mais vous pouvez maximiser vos chances de faire un choix éclairé en respectant certains critères.

*Premièrement:* Ne cédez pas aux pressions et ne prenez pas votre décision sur-le-champ. Bien entendu, en cas d'urgence médicale, vous ne pouvez pas vous accorder le luxe d'attendre, mais habituellement, lorsqu'une de vos options est la chirurgie, vous avez le temps de réfléchir. Les chirurgiens, comme tous les professionnels, sont des gens occupés. Ils veulent planifier leur emploi du temps en fonction de leurs autres priorités. Ne vous laissez pas priver du temps qui vous est nécessaire pour réfléchir à la décision que vous devez prendre.

*Deuxièmement:* Demandez l'opinion de plusieurs personnes, surtout lorsqu'il s'agit d'une question médicale. Lisez sur le sujet. Consultez des personnes qui ont été dans la même situation. Devenez un consommateur averti. Il est facile de se décourager et de souhaiter que tout se règle vite, ce qui peut vous inciter à opter pour la première solution qui s'offre à vous. Attendez. Examinez bien la situation. Explorez vos autres avenues.

*Troisièmement:* Faites appel à des groupes de soutien, au clergé, à des thérapeutes, à vos amis, surtout s'ils ont une certaine expérience de ces questions. Parlez-leur. Demandez-leur comment ils sont parvenus à fixer leur choix. Permettez-leur de vous aider à composer avec votre ambivalence et votre confusion et laissez-les vous rappeler que vos sentiments font partie du processus normal du deuil.

*Quatrièmement:* Évitez les occasions de stress supplémentaires en n'effectuant aucun autre changement majeur dans votre vie au même moment. Ne déménagez pas. Ne changez pas d'emploi et n'assumez aucune autre responsabilité financière si vous pouvez l'éviter. Aidez-vous en ayant une vie régulière et prévisible.

*Cinquièmement:* Priez, méditez, rapprochez-vous de Dieu ou d'une puissance supérieure. Demandez que vous soient données la force et la sagesse nécessaires pour voir clairement ce qui serait le mieux pour vous. Sachez que toute décision se fonde sur des renseignements incomplets; priez pour qu'on vous donne la confiance et l'assurance qu'il vous faut pour assumer pleinement votre décision.

*Sixièmement:* Faites les exercices ci-après. Explorez par écrit votre deuil et vos décisions dans votre journal intime.

### Pour votre journal intime

Écrire peut vous venir en aide aux trois étapes de votre prise de décision. Avant d'effectuer un choix, explorez vos options sur papier. Quand vous vous sentez prêt à prendre votre décision, épanchez-y vos émotions. Après que votre décision aura été prise, écrivez pour vous assurer que vous avez effectivement fait le meilleur choix possible dans les circonstances.

*Avant d'effectuer un choix:* Nous sommes souvent en conflit avec nous-mêmes quand nous devons prendre une décision. Notre côté pratique dit une chose, notre côté altruiste en dit une autre. La voix intériorisée de nos parents peut encore en dire une troisième. Il est parfois utile de laisser s'exprimer toutes ces voix.

Permettez à chacune de plaider sa cause par écrit, sans la juger ou l'interrompre. Relisez chaque plaidoyer. Demandez à la voix la plus compatissante et la plus sage de résumer en quelques mots tout ce que vous venez d'écrire.

*Au moment de prendre votre décision:* Chacun de nous a une approche différente quand il s'agit de prendre une décision, mais, pour la plupart, nous faisons face à nos choix de la même façon que nous faisons face aux conflits que nous devons affronter. Certains optent pour l'ajournement. D'autres refusent de considérer que le dossier est clos. D'autres fuient. D'autres sont perfectionnistes. Si vous décelez vos tendances en situation de conflit, vous serez mieux en mesure de comprendre les émotions fortes ou étranges ou les sensations physiques dont vous faites actuellement l'expérience. Pour mieux déceler quels sont vos réflexes, complétez les phrases suivantes:

En période de transition ou en situation de conflit, je...

Lorsque je dois prendre une décision difficile, je...

Cette situation serait grandement facilitée par...

*Après avoir fixé votre choix:* Écrivez-vous une longue lettre pour expliquer les problèmes que vous éprouvez encore dans votre évaluation de tous les éléments qui composent votre cas. Gardez cette lettre dans vos dossiers pour la relire plus tard et consultez-la chaque fois que vous doutez de la sagesse de votre décision.

Après en avoir terminé avec ces exercices, complétez la phrase suivante d'autant de façons que vous le souhaitez:

Après avoir écrit ce qui précède, je...

# 9

# Une nouvelle raison de vivre

Les Navajos, les taoistes et les bouddhistes zen ont tous à peu près le même dicton pour parler du déroulement de la vie. Librement traduit, il signifie: «La vie est belle à son commencement, belle en son milieu, belle à la fin.» Ce dicton reflète la nature transitoire de l'existence et nous invite à demeurer attentifs à chaque détail dans toutes nos activités.

Cette attitude est requise à plusieurs niveaux du travail du deuil. En premier lieu, il est encourageant de savoir que le deuil a un commencement et un milieu, et qu'il a aussi une fin. On *guérit*, parfois malgré nous. Ce qui se défait se reconstruit. La vie se réorganise, souvent sur un plan plus élevé, plus conscient, plus compatissant.

Deuxièmement, un tel énoncé nous rappelle que la fin d'une chose n'est ni *plus* importante ni *moins* importante que son commencement. Nous avons beau déployer beaucoup d'énergie à vivre notre deuil quand nous sommes plongés au cœur de la détresse, ce dicton nous rappelle que nous devons être tout aussi attentifs et réceptifs à l'aide qui nous est offerte quand nous parvenons aux stades ultimes de notre épreuve que nous l'étions à ses débuts. La fin d'une étape est le commencement de l'étape suivante de notre évolution.

Troisièmement, le fait de dire que tout est «beau» à ses débuts, au milieu et à la fin ne signifie pas que tout est «joli», «heureux» ou «sans douleur». «Beau» a ici un sens objectif. Plus précisément, il a le sens d'«harmonieux», c'est-à-dire que chaque chose occupe la place qui lui revient dans la création, que cette place soit pour

nous une occasion de bonheur ou qu'elle nous arrache des larmes. Tout est juste. Et tout est bon.

Que vous adhériez ou non à cette philosophie est une question de choix personnel. Quoi qu'il en soit, je désire souligner, dans le présent chapitre, les extraordinaires capacités de l'espèce humaine (peut-être même sa tendance naturelle) à tirer profit de l'adversité pour accéder à quelque chose qui ressemble à l'amour. Voilà, selon moi, le sens du mot «beau». Il m'a semblé que ce sentiment s'exprimait clairement ou était tout au moins suggéré dans les récits de toutes les personnes que j'ai interviewées pour les besoins de cet ouvrage.

Le présent chapitre vous invite à conserver un regard objectif. Il vous incitera au moins à ne pas perdre de vue vos forces et vos ressources personnelles quand vous vous sentirez impuissants, démunis et que vous pleurerez vos pertes. Au mieux, il vous fera entrevoir la possibilité d'évoluer par une sorte de transmutation alchimique de la souffrance.

Rien de tout cela ne signifie conclure votre deuil plus rapidement que nécessaire. Il ne s'agit pas d'aller vite, mais bien de conserver son équilibre.

## LA VIE EN PHASE DE NEUTRALITÉ

Dans son ouvrage intitulé *Transitions: Making Sense of Life's Changes,* Bill Bridges subdivise le cycle de transformation (synonyme du cycle du deuil) en trois étapes: la fin, la zone de neutralité et le commencement. J'utilise ce livre avec mes étudiants dans mes cours sur le deuil et j'ai pu constater que l'ordre inversé des trois éléments du cycle nous fournit une métaphore intéressante à laquelle tous peuvent s'identifier. En outre, le concept d'une zone de neutralité peut nous procurer un grand soulagement et attiser notre courage.

Pour Bridges, la zone de neutralité correspond à la période qui suit la «mort», c'est-à-dire la fin ou la perte de quelque chose, et qui précède la «renaissance», c'est-à-dire notre entrée dans la phase suivante de notre vie. C'est une période où l'ajournement est chose fréquente. Nous nous ajustons lentement à nos pertes, mais nous demeurons incertains de l'avenir. Nous sommes passifs: c'est là une autre caractéristique commune à la zone de neutralité et à l'approche féminine de l'existence. Pendant cette étape, il se peut que nous ne fassions rien de particulier, que nous ne soyons pas très motivés, que nous soyons incapables de rationaliser ce qui nous arrive, même si le «cerveau du corps» se montre très diligent. Durant cette période, il peut être très salutaire d'être attentifs à nos rêves et aux messages qu'ils s'efforcent de nous transmettre, car l'inconscient est plus actif que d'habitude. C'est le moment d'explorer, avec tous les moyens à notre disposition, la notion d'abandon.

Si nous savons que le deuil comporte une zone de neutralité, nous serons moins portés à nous reprocher notre indécision ou notre ambivalence. En fait, nous devrions les apprécier davantage.

La zone de neutralité occupe une large place, un lieu où nous pouvons nous déplacer à l'aise, tandis que nous nous efforçons de récupérer. Si nous sommes disposés à cultiver notre «vastitude intérieure», nous faciliterons grandement notre guérison future. Quand nous nous enroulons autour de notre douleur, nous l'augmentons. Quand nous nous détendons, elle s'apaise. Ceci vaut autant pour la souffrance émotionnelle que pour la souffrance physique.

Steven Levine, qui est l'auteur de plusieurs ouvrages sur la perte et le deuil, a travaillé auprès de milliers de malades en phase terminale et de leur famille. Il suggère d'aborder sa douleur avec une «douceur aimante», plutôt que dans un esprit de mépris de soi et de tension. La douceur aimante, c'est-à-dire la vastitude intérieure, nous procure un espace pour méditer et pour nous préparer à recevoir la prochaine vague. La zone de neutralité est très spacieuse.

Pendant la convalescence qui a suivi sa fausse couche, Susan a défini sa zone de neutralité comme une période de déception. Se laissant porter par cette vague aussi longtemps qu'il lui a semblé nécessaire, elle en a ensuite émergé, dotée d'une sensibilité plus aiguë et d'une compassion accrue pour elle-même et pour les autres. La zone de neutralité de Susan, chargée de souvenirs et de larmes, lui a permis d'intégrer sa perte à sa pratique spirituelle. La zone de neutralité a été pour elle une phase préparatoire à sa guérison, une phase non exempt de souffrances, mais éclairée de temps à autre par un rayon d'espoir. Susan a évoqué sa guérison en termes paradoxaux :

## La guérison de Susan

Mon conjoint m'a offert un cadeau princier quand il a employé le mot «déception» en me donnant ainsi la permission d'en éprouver. Ce mot est lourd de sens pour moi; il diffère des mots «affliction», «douleur» ou «détresse». C'était «mon mot», le mot qui me touchait si tendrement qu'il parvenait toujours à me rejoindre, malgré mes humeurs maussades, et à m'arracher les larmes qui attendaient au seuil de ma révolte, ces larmes qui ont contribué à me guérir.

Quand il me demandait ce qui n'allait pas, je répondais: «Je crois que je suis encore bouleversée d'avoir perdu le bébé.»

— C'est normal que tu sois déçue, répétait-il gentiment, sans se lasser.

Le fait de permettre à la déception d'éclore en moi, d'ouvrir un à un ses pétales, de me submerger de ses vagues, a épuisé les tensions qui m'enserraient, des tensions temporaires, des carapaces qui m'empêchaient de faire ce que j'avais le plus besoin et le plus envie de faire: pleurer ma perte pour parvenir à en guérir et à l'accepter.

La déception est l'expression très délicate d'une perte. Elle survient quand le résultat ne se mesure pas à nos attentes. Et ces attentes sont immenses quand nous portons, quand nous «attendons» un enfant. N'est-ce pas ainsi que l'on décrit une femme enceinte? «Elle attend un enfant», dit-on. Quand j'ai su que j'étais enceinte, combien de fois n'ai-je pas tenu mon bébé dans mes bras en pensée, imaginé mon enfant de cinq ans courant sur la pelouse ou mon fils de quinze ans à son retour de l'école? Comment s'étonner que j'aie été déçue? J'avais déjà vécu l'avenir en imagination.

Rien de plus normal que de se laisser aller à de telles rêveries. Mais ce peut être dangereux si nous négligeons le moment présent, qui est le seul terreau du vrai bonheur. Je crois m'être épargné des souffrances inutiles lors de ma deuxième fausse couche, car grâce à mon expérience, j'ai fait un effort conscient pour ne pas me laisser emporter par mes rêves d'avenir. Je me suis disciplinée à vivre un jour à la fois.

S'il a été prudent d'éviter d'imaginer l'avenir, il a été très difficile de ne pas céder au fatalisme. Je veux dire qu'il m'a été difficile de ne pas nier ma grossesse au cas où le bébé ne serait pas viable. Je me suis souvent réfugiée dans une attitude fataliste au début de ma grossesse, et j'étais horrifiée de penser que je pourrais transmettre à mon enfant ma tendance à recourir à cette stratégie pour affronter les vicissitudes de l'existence. Il en coûtait beaucoup trop.

Donc, j'ai demandé à mon conjoint et à mes amis de me rappeler la promesse que je m'étais faite de vivre ma grossesse autrement, et j'ai pris l'habitude d'accepter et d'aimer ce petit être qui prenait forme en moi sans rien présumer de l'avenir.

Vivre dans l'instant présent et me permettre d'être déçue sans sombrer dans le fatalisme est pour moi un «exercice». Cela me demande un effort constant, quotidien, similaire à celui que déploie un athlète qui s'entraîne pour un marathon. Il suffisait que je me remémore ma résolution pour qu'un changement s'opère et que mes peurs s'apaisent. Tant que je ne me livrais pas à cet exercice avec un perfectionnisme compulsif, mais que je m'efforçais de modifier mes anciennes habitudes avec douceur, compassion et humour, je puisais une grande force dans le fait d'être différente.

Cette notion voulant que l'on tire profit de la contribution de notre imagination a été clairement exprimée dans un entretien avec le dalaï-lama, le chef temporel et spirituel du Tibet et un moine ayant fait vœu de chasteté. L'interviewer lui demandant s'il lui arrivait de penser à de jolies femmes et d'en éprouver du désir, le lama tibétain lui répondit en toute candeur que, oui, il lui arrivait de penser à de jolies femmes, et même d'en voir en rêve. Mais, même en rêve, il s'exerçait à la discipline et se rappelait qu'il était «un moine». Il conclut en disant qu'il ne pensait jamais à lui-même en tant que dalaï-lama, mais en tant que simple moine. En lisant cet article, je songeai: «Voilà justement pourquoi il est le dalaï-lama», et cette pensée m'apporta un grand soulagement. Si le dalaï-lama qui avait reçu une éducation religieuse et qui avait été choisi dès son jeune âge pour occuper son rang devait sans cesse faire l'effort de se rappeler qu'il était moine, je n'avais aucune raison de me juger avec sévérité ou de me culpabiliser quand je ne tenais pas mes résolutions.

La souffrance nuit aux relations interpersonnelles. Quand nous souffrons, nous prenons conscience de la profondeur de notre solitude. La perte que nous vivons, nous sommes seuls à la vivre, nul ne peut l'assumer pour nous. Cette constatation tend à nous durcir, à nous faire adopter une attitude bravache, indépendante, complaisante ou impuissante. Mais chaque fois qu'on me signalait qu'il était normal que je sois déçue quand je m'en prenais à mes amis ou que je vaquais à mes tâches quotidiennes le cœur brisé, ce rappel me faisait éclater en sanglots. Et quand je pleurais, que je plongeais au cœur de ma déception, je redevenais vulnérable et ouverte. Soudain, je laissais les autres s'approcher, me témoigner de l'affection, m'étreindre, me bercer ou pleurer avec moi.

Quand mon conjoint m'a dit: «Je suis très déçu, moi aussi», je l'ai entendu. J'ai été abasourdie de me rendre compte à quel point je m'étais fermée à sa détresse de peur qu'elle n'intensifie la mienne. Mais c'était le contraire qui se produisait. En admettant que mon conjoint et mes amis souffraient aussi, que nous partagions cette affliction, j'ai pu leur témoigner de la compassion et aller au-delà de ma propre souffrance. Cette transformation a été une bénédiction pour moi.

Selon moi, la déception rejoint plus profondément le cœur de notre détresse que la révolte. Je ne veux pas sous-estimer l'importance et la nécessité de nos émotions fortes telles que la révolte, mais je crois que nous avons tendance à nous leurrer quand nous nous en tenons à ces émotions ou quand nous leur accordons une importance plus grande qu'elles n'ont en réalité. Nous avançons sur un terrain glissant. Situer la frontière entre une révolte bénéfique et une révolte pleine de complaisance est une question d'expérience en ce qui me concerne. J'ai dû d'abord me donner la permission d'exprimer la colère d'une enfant de deux ans, furieuse de constater qu'elle n'est pas le nombril du monde ou que la vie est injuste.

J'ai été parfois outragée de voir la tournure des événements; j'avais l'impression d'avoir été flouée si longtemps et qu'il était rudement temps que les choses tournent rond pour moi. Heureusement, le temps guérit bien des maux et j'ai pu quitter la rudesse de la révolte pour entrer dans la douceur de la déception. Ce passage s'est accompagné d'un sentiment d'humilité. J'ai constaté que je n'étais pas seule à souffrir, que toute l'espèce humaine avait, depuis la nuit des temps, porté injustement sa croix. Je n'étais plus seule, je faisais partie d'une confrérie, d'une communauté humaine. La déception, pour moi, s'adresse directement à notre «fêlure intérieure»; c'est ainsi que je définis le sentiment d'avoir été oubliée de Dieu ou cette souffrance existentielle qui consiste pour moi à être séparée de ce qui m'est le plus nécessaire.

La déception est un sentiment clé chez l'enfant, puisque tôt ou tard nos parents contredisent nos attentes. Ils nous déçoivent, du moins la moitié du temps. Quand nous étions enfants, notre vie était partagée entre l'enthousiasme et la déception, opposition qui représentait un grand défi pour nos parents, ces deux adultes aux prises avec leurs propres déceptions. La façon dont nos parents composaient avec leurs déceptions a déterminé les moyens dont nous disposons aujourd'hui pour affronter les nôtres. Nous avons peut-être appris d'eux qu'il n'était pas convenable de se montrer déçus, ou qu'une déception était l'indice d'un quelconque échec. Nous avons peut-être appris qu'être déçus fait partie de la vie, que nous devons toujours laisser quelque chose derrière nous pour mieux découvrir ce qui se trouve devant. Quelques-uns, plus fortunés, ont appris à trouver dans leurs déceptions une occasion de s'épanouir.

Bien sûr, on ne réagit pas immédiatement à une perte, surtout à la perte d'un enfant, par la déception. Je ne pense pas qu'on puisse atteindre le cœur de la déception sans d'abord passer par la peur, la révolte et la confusion. En fait, si j'avais lu ou entendu de tels propos au moment où je traversais une phase de révolte et de colère, j'en aurais été furieuse. On ne saurait aller plus loin que nos pas nous portent. D'autre part, je crois aussi que bon nombre d'entre nous ne cheminent pas assez loin sur la route du deuil. Il est possible de s'en tenir à une émotion donnée parce qu'elle nous est familière et prévisible, et de ne pas permettre à notre détresse de poursuivre son itinéraire jusqu'à la résignation, à l'acceptation et au-delà. La déception peut être le pont qui relie la première phase de notre souffrance à la deuxième, celle qui ouvre sur de plus grandes possibilités.

La déception me semble être un ingrédient essentiel à cette soupe à laquelle nous donnons le nom de «maturité». Ce n'est pas une expérience philosophique. «Ce qui est» est tout simplement ce qui arrive, c'est injuste et cela fait mal. Mais, comme c'est le cas pour beaucoup d'autres émotions, l'acceptation de notre vulnérabilité et la déception qui en découle sont grandement sous-estimées par notre société quand celle-ci ne leur est pas carrément aveugle. En ce qui me concerne, la déception, qui est au cœur de la révolte et de la détresse, est la clé qui nous permet de traverser la vie avec grâce.

Mes deuils m'ont beaucoup appris. Je suis libre de m'en servir pour accroître mon amertume et mon mépris de moi-même ou pour attiser la flamme qui cautérisera mes blessures et entraînera ma guérison. Je crois que tout être humain possède cette liberté de choix.

Une nuit, peu de temps après ma deuxième fausse couche, alors que je me laissais aller à ma souffrance dans mon lit, j'ai partagé la douleur de toutes les femmes qui avaient un jour perdu leur enfant et celle des nombreux hommes qui les accompagnaient dans leur détresse ou qui leur tournaient le dos pour s'enfoncer dans leur propre peur, leur propre confusion, leur propre refus. Mais en dépit de sa profondeur insondable, cette souffrance partagée ne m'a pas bouleversée. Mon deuil m'a paru plus doux-amer, car il me fusionnait à toute l'humanité.

Je n'ai pas opposé de résistance à cette détresse, mais j'ai laissé une profonde tristesse m'envahir comme le vent se glisse entre les branches des arbres. Mon cœur et les cœurs de ces êtres qui avaient connu des détresses encore plus grandes que la mienne souffraient à l'unisson; je me suis sentie enveloppée par un sentiment de compassion et d'amour, sensible à l'universalité de la souffrance humaine et à la fraternité née de nos fêlures communes.

Dans une lettre à une femme, dont le bébé venait de mourir, le poète Redhawk a su capturer ce sentiment doux-amer, dont parle Susan. Ses vers nous rappellent qu'il est possible de déceler dans la pire des pertes la certitude que tout est beau.

*POUR JANE, DONT LE BÉBÉ EST MORT*
*Je suis heureux pour elle en ce jour*
*elle a connu un rare bonheur:*
*une Âme s'est couchée brièvement dans son sein,*
*y a reçu chaleur et réconfort.*

*Une Âme entre où elle veut,*
*s'en va quand elle le désire;*
*elle se fiche de ce que nous voulons.*

*Elle s'approche un moment,*
*se penche pour nous étreindre,*
*respire, attise en nous l'étincelle qui vit,*

*laisse une faible trace de lumière*
*dans l'obscurité de nos cœurs.*

*Son chemin s'éclaire de cette*
*flamme vacillante;*
*elle se lève, s'habille lentement*
*portée par ce souffle léger,*
*et vaque à ses tâches coutumières.*
*Elle n'en dit rien.*
*Mais elle sent un doux battement en elle*
*tandis qu'elle hache des légumes,*
*prépare le café,*
*et caresse son amant dans la nuit.*

*C'est une chose rare*
*que d'œuvrer bien et longtemps*
*pour que s'approche ainsi une Âme,*
*et je suis heureux pour elle*
*aujourd'hui.*

## LA CONFIANCE, L'ESPOIR ET LA PLÉNITUDE

La confiance et l'espoir sont tout ensemble des dons et le résultat d'un choix. Si on le veut vraiment on les trouve en soi-même, ou bien ils proviennent d'un mystérieux au-delà. On choisit de les posséder, on se sait prêt à les accueillir dans notre vie. Nous décidons dans quoi ou en qui nous mettons notre espoir et notre confiance, ensuite nous assumons les conséquences de cette décision. Si la réalité n'est pas à la hauteur de nos attentes, nous remettons parfois en question la source de ces vertus. Parfois, surtout en période de crise, il nous arrive d'être si déçus, si révoltés même, devant la tournure des événements que nous risquons de renoncer à cette confiance et à cette foi, de les détourner de leur objet premier ou carrément de les perdre. Une telle crise morale peut être terrifiante et à la fois libératrice. Elle est normale et saine, elle nous force à réorganiser nos fragments épars et à vivre de façon consciente plutôt que de nous laisser conduire par nos anciens réflexes ou par le hasard. Cela se produit lentement, peu à peu. Mais cheminer sans aucun secours sur ce tronçon de notre zone de neutralité peut se révéler une expérience extrêmement douloureuse.

Dans l'absolu, une crise morale nous incite à faire appel à des témoins affectueux, disposés à nous écouter, tandis que nous nous livrons à l'exploration de nos émotions, de nos doutes et de nos questionnements. On peut aussi s'interroger sur les certitudes qui sous-tendent nos questionnements et orientent notre vie. (Toutefois, dans les premières phases de cette crise, vous ne devez pas vous attendre à des réponses claires et faciles. Écrire peut vous être d'un grand secours, car c'est par l'écriture que l'on formule le mieux des réponses à nos interrogations.) Quand on en a pris conscience, ces certitudes ont le pouvoir d'éclairer notre route et de guider nos pas.

Elisabeth Kubler-Ross, dont j'ai parlé précédemment, a constaté que le principal facteur pouvant déterminer la durée du deuil et la qualité de ce deuil est le rapport que nous entretenons avec la foi religieuse. D'après mon expérience, cette foi ne se limite pas à une croyance en un enseignement spécifique ou en une puissance supérieure, mais inclut une certaine pratique religieuse qui nous permet de situer nos pertes dans un contexte plus vaste et plus universel. Ce transfert est possible pour chacun d'entre nous. On ne saurait sous-estimer l'aptitude d'un groupe, dont les orientations spirituelles correspondent aux nôtres, à nous soutenir dans notre traversée difficile. Voilà un autre aspect positif de l'appartenance à une confession. Les liens familiaux solides ont le même pouvoir.

La plupart des gens vivent leurs deuils comme leurs parents ont vécu les leurs. Si nos père et mère se montraient ouverts et communicatifs dans leur attitude, si les propos qu'ils nous tenaient sur la vie et la mort étaient empreints d'espoir et si ces douloureux mystères étaient à leurs yeux des nécessités cosmologiques, il va de soi que nous serons portés à adopter leur point de vue.

Si, au contraire, ils s'enfermaient dans leur détresse, trouvaient refuge dans une quelconque dépendance ou adhéraient sans les remettre en question à tous les euphémismes de leur éducation religieuse, nous serons portés à les imiter, à moins de faire un effort conscient pour nous dissocier de leur système de valeurs. Cette dissociation réside dans notre volonté de mettre fin au réflexe de refus que nous avons hérité, en faisant notre propre travail de deuil.

Le récit de Laurence, que nous reproduisons plus bas, montre comment une femme a pu puiser la force et le courage dont elle avait besoin dans sa foi religieuse et dans son éducation familiale. C'est le dernier récit du livre, et le plus long; mais il n'a pas été abrégé, car le cas de Laurence est un cas type. Il témoigne de toutes les étapes du deuil, y compris de la crise morale et de la renaissance qui l'a suivie.

Le récit de Laurence m'arrache encore des larmes, bien que je l'aie lu des douzaines de fois depuis qu'elle nous a relaté son histoire pour la première fois. La lecture est une activité libératrice. Mes larmes, vos larmes nous ouvrent le chemin du cœur et nous relient à notre source intime de confiance et d'espoir.

## L'histoire de Laurence

Claudine avait neuf ans et terminait sa troisième année quand elle est décédée, il y a deux ans en juin.

Tout est arrivé si vite! Les premiers signes que quelque chose n'allait pas se sont manifestés en mars, environ trois mois avant qu'elle nous quitte. Deux choses se sont alors produites. D'une part, son attitude a changé. Elle est devenue maussade, elle était portée à disputailler.

D'autre part, elle s'est plainte de ne pas pouvoir bien lire le tableau noir en classe.

— Demande à ton institutrice de te laisser t'asseoir à l'avant de la classe, suggérai-je.

Vous savez ce que c'est. Les enfants se plaignent tout le temps.

Ensuite, elle a eu des problèmes d'audition. On aurait dit qu'elle ne m'écoutait pas.

— Tu me parlais? disait-elle tout innocemment quand j'attirais son attention en la regardant droit dans les yeux.

Je croyais qu'il s'agissait d'un simple problème de comportement. Mais comme nous l'avons découvert plus tard, tous ses sens s'éteignaient rapidement.

— Quand tu iras à l'école, dis-je en toute naïveté, demande à l'infirmière d'examiner tes yeux et tes oreilles.

Elle se plaignait aussi plus souvent de maux de tête et d'estomac. C'est bouleversant pour moi de songer à tout cela avec le recul. Je me souviens du jour où elle est rentrée à la maison en disant qu'elle était tombée sur le chemin du retour.

— Tu as trébuché? fis-je.

— Non, maman, dit-elle, incrédule. Je suis tombée, c'est tout.

J'ai trouvé cela bizarre. Maintenant, je me rends compte qu'elle se défaisait petit à petit. Tout le corps de Claudine se détraquait. Je l'ai amenée chez le médecin pour lui faire subir un examen neurologique.

Notre médecin de famille était jeune et inexpérimenté. Il a examiné ses yeux et conclu: «Je ne vois rien.» Mais un test sanguin a décelé la présence du virus Epstein-Barr, et nous avons pensé avoir trouvé ce qui n'allait pas. En réalité, les symptômes de Claudine pouvaient être associés à des problèmes multiples. Nous étions soulagés d'avoir mis le doigt sur celui-là.

Nous sommes rentrés à la maison munis de notre plan d'attaque.

— Je vais lui donner de fortes doses de vitamines pour renforcer son système immunitaire, dis-je. Cela tuera son virus.

En vain. Elle était de plus en plus faible, de plus en plus malade, elle ne gardait plus aucune nourriture. Elle en vint à ne plus avoir d'énergie. Elle se réveillait épuisée après une nuit de sommeil. Elle jouait quelques minutes, puis elle devait s'étendre et se reposer. Cela a duré environ trois semaines. Nous avions beau l'aider de toutes les façons possibles, rien n'y faisait. L'année scolaire tirait à sa fin et je me souviens d'avoir pensé qu'elle n'aurait pas la force d'étudier et d'être promue en quatrième année.

Le découragement la gagnait aussi et elle demandait parfois: «Maman, qu'est-ce qui m'arrive?»

— Il faut que nous nous débarrassions du microbe qui vit dans ton organisme, disais-je.

Je ne pouvais pas imaginer qu'il puisse s'agir d'autre chose que d'un virus tenace.

Parfois, ses comportements bizarres m'inquiétaient.

— Claudine, pourquoi fais-tu cela?

— Je ne sais pas, maman, répondait-elle, l'air confus. Je n'y peux rien.

Elle semblait incapable de se dominer.

À la fin de mai, j'ai amené mes enfants en visite chez ma sœur. Elle avait une piscine où tous les enfants, même Claudine, se sont précipités dès notre arrivée. Mais dix minutes plus tard, elle est entrée dans la maison et elle est allée s'étendre dans la chambre à coucher.

— Je me sens si malade, dit-elle.

Elle était épuisée.

Ma sœur la regarda, puis posa son regard dans le mien.

— Laurence, ta fille est très malade, dit-elle.

C'était le choc dont j'avais besoin. J'ai dû admettre que son état ne s'améliorait pas du tout et qu'il fallait consulter un autre médecin.

Ce médecin était plus âgé et plus expérimenté. À ce moment, un des yeux de Claudine se retournait dans son orbite et ce fut très difficile de l'examiner. Quand le médecin a observé ses yeux, il a vu. Il a vu l'eau derrière. Il s'agissait en fait d'une accumulation de liquide céphalorachidien. Mais le médecin s'est abstenu de me donner d'autres détails. Il m'a dit, en aparté, qu'il fallait immédiatement conduire Claudine à l'hôpital pour lui faire subir une scanographie des plus sophistiquées.

Il était sérieux et moi, terrifiée. Il a insisté sur l'urgence de la situation.

— De quoi parlez-vous au juste? fis-je. Est-ce aussi sérieux que vous le dites?

Il n'a pas voulu se compromettre.

— C'est un problème neurologique...

J'ai oublié ce qu'il a dit ensuite. Je suis rentrée à la maison et j'ai pris des arrangements pour que quelqu'un puisse s'occuper de mes trois autres enfants. J'ai téléphoné à mon mari qui était en voyage d'affaires, et il est immédiatement rentré chez nous. J'ai emballé quelques affaires, cueilli la meilleure amie de Claudine (qui voulait nous accompagner), et nous nous sommes rendus à l'hôpital.

Le lendemain, un mardi, Claudine avait un lit.

J'étais apeurée, tandis que nous l'installions dans sa chambre, et je me sentais mourir en dedans. Mais je ne le montrais pas. Quand l'angoisse devenait insupportable, je m'enfermais dans la salle de bains pour pleurer.

Tout est allé très vite. On lui a d'abord fait des prises de sang, puis on l'a amenée à un autre étage pour des examens plus précis. Quelques heures plus tard, elle a subi sa scanographie. Je suis restée tout ce temps à l'attendre dans sa chambre.

Quel étrange moment. Ma sœur aînée se mariait cette semaine-là, et je me souviens d'avoir pensé que quand la poussière serait un peu retombée, je pourrais quitter le chevet de Claudine pendant quelques heures pour rendre visite à ma sœur. Peut-être même assister à son mariage. Nous faisons parfois d'étranges projets.

Quarante-cinq minutes plus tard, on ramenait Claudine. Quand j'ai vu l'expression du médecin, quelque chose s'est brisé en moi. Son visage était grave.

— Allons quelque part où nous pourrons être tranquilles, dit-il.

J'ai compris que la situation était très sérieuse, mais le choc m'empêchait d'imaginer ce qu'il allait m'annoncer.

— Votre petite fille est très malade, dit-il. Elle a une tumeur au cerveau. Cette tumeur est très grosse; en fait, je n'en ai jamais vu d'aussi grosse.

Je restais là et j'essayais d'absorber ses paroles et de me dominer, mais je tremblais de tous mes membres.

— C'est le cancer? parvins-je enfin à dire. Le cancer du cerveau?

— Oui, fit-il en hochant la tête.

Puis il fit un dessin sur un tableau noir, il me montra comment la tumeur avait pris forme dans la moelle épinière et comment sa présence produisait un refoulement du liquide céphalorachidien.

— C'est sérieux? fis-je, comme on s'agrippe à des fétus de paille pour ne pas sombrer.

Il m'expliqua que ce type de tumeur était parmi les plus fatales. Elle tue les sens, tous les sens, l'un après l'autre.

— D'après mon expérience, poursuivit-il, les enfants atteints de ce type de cancer survivent de deux mois à un an.

Il ne m'offrait aucune porte de sortie.

— Vous voulez dire qu'aucun de ceux qui ont eu cette tumeur n'ont survécu?

Je n'en croyais pas mes oreilles.

— C'est exact, fit-il.

Je suis restée muette pendant un moment, puis j'ai dit: «Puis-je pleurer?»

— Bien sûr, pleurez, dit-il.

J'ai enfoui mon visage dans mes mains et j'ai éclaté en sanglots.

— Quelles sont nos options? demandai-je quand je fus capable de parler.

— Nous pouvons apaiser ses souffrances en diminuant la pression causée par le liquide céphalorachidien. Nous insérerons un conduit pour drainer le liquide et nous analyserons le degré de malignité de la tumeur.

Il a dit aussi, je m'en souviens clairement, que le facteur de risque en cours de biopsie n'était que de cinq pour cent. Et voilà.

— Le mieux que nous puissions faire est de lui procurer la meilleure qualité de vie possible pendant les semaines ou les mois qui lui restent, répéta-t-il.

Une nouvelle comme celle-là vous jette par terre. Vous ne parvenez pas à y croire. Nous ne pouvions rien espérer d'autre qu'un soulagement de ses souffrances? Il n'y avait aucun espoir de guérison? Vous ne pouvez pas le croire.

Le médecin a ajouté que c'était le plus doux des cancers. Comme il tuait tous ses sens, il équivalait à une anesthésie. Mis à part les maux de tête occasionnés par l'accumulation de liquide, elle ne souffrait pas. Elle n'a jamais paru effrayée, même quand on l'a conduite en salle d'opération. Sa confiance nous a tous aidés.

Dieu merci, j'avais beaucoup à faire. J'ai appelé les membres de ma famille et mes amis, je leur ai demandé de venir nous retrouver, et quelques heures plus tard nous étions submergés d'appels. Notre réseau familial est très étendu.

Quand j'ai pu joindre mon mari, je lui ai annoncé la nouvelle sans circonlocutions.

— Elle a une tumeur au cerveau, et c'est fatal.

Je l'ai entendu éclater en sanglots à l'autre bout du fil.

Laurence fit une pause et but une gorgée d'eau, puis elle nous demanda, à Susan et à moi, si nous pouvions insérer son histoire dans mon livre. Je l'ai rassurée et elle a poursuivi son récit.

Je suis mormone. Nous accordons beaucoup d'importance à la bénédiction du prêtre. Dès que j'ai su ce qui se passait, j'ai fait venir un de mes beaux-frères avec un autre homme pour bénir ma fille.

Le reste de la famille est arrivé peu à peu et, bientôt, le téléphone sonnait sans arrêt. Entre-temps, Claudine voulait savoir ce qui se passait.

— Est-ce qu'ils ont trouvé ce que j'ai? demanda-t-elle.

Je lui ai expliqué que le médecin lui ferait subir une intervention chirurgicale pour soulager ses maux de tête. Elle acquiesça sans poser de questions. Je me suis toujours efforcée de lui simplifier les choses afin de ne pas la bouleverser.

Le lendemain, un mercredi, était le jour prévu pour l'opération. De nombreux membres de ma famille se sont réunis avec nous dans la chambre de Claudine. Ma sœur m'a demandé si elle pouvait faire une bande vidéo de Claudine, et j'ai accepté. Je ne le regrette pas, au contraire. Nous ne pouvions pas savoir que notre dernière conversation avec elle avait lieu ce matin-là. Ce petit vidéo est mon bien le plus précieux. Claudine était plutôt de bonne humeur et elle plaisantait. Ce fut une merveilleuse expérience de fusion familiale.

Puis, en salle préopératoire, je me suis efforcée d'être positive et gaie. Je l'ai embrassée et je lui ai dit: «On se retrouve dans une heure ou deux.»

Le chirurgien nous avait dit que l'opération durerait environ une heure et demie. Au bout de deux heures, j'ai commencé à m'inquiéter.

Près de trois heures après le début de l'intervention, le chirurgien a demandé à nous parler.

— Nous avons eu des complications, dit-il.

Complications. Ce mot me paraissait irréel après tout ce que nous avions vécu. Ce devait être une intervention de routine! Mais semble-t-il qu'en cours de biopsie, un fragment de tissu a adhéré à une artère. Quand les chirurgiens ont voulu l'en retirer, «elle a eu une hémorragie» (…) «elle a perdu beaucoup de sang» (…) «la seule chose que nous pouvions faire pour lui sauver la vie» (…) «lui ouvrir le crâne» (…) «cautériser la veine» (…) «le sang s'est arrêté de couler comme par miracle» (…) «ne savons pas pourquoi».

— Tout ce que je puis vous dire, fit le médecin avec une grande compassion, c'est que l'hémorragie s'est arrêtée parce que son heure n'était pas venue.

Nous avions failli la perdre.

En entrant aux soins intensifs, j'ai failli m'évanouir en voyant ma fille. On aurait dit que quelqu'un lui avait sculpté le crâne. C'en était trop. Je me suis sentie très mal et je suis sortie. Je ne pouvais pas croire qu'on lui avait fait cela.

Elle était branchée sur un respirateur, intubée et encore sous anesthésie. Tandis qu'elle se réveillait tout doucement, elle pressa ma main trois fois. J'ai failli perdre le contrôle: c'était notre code secret. Trois pressions voulaient dire je t'aime.

Le lundi suivant, elle était morte. Moins d'une semaine après son entrée à l'hôpital. Elle y était venue pour subir des examens et elle n'en est jamais sortie.

Chaque jour de cette semaine incroyable a été différent. Chaque heure, même. Claudine était parfois alerte et posait sur moi un regard interrogateur. Puis elle sombrait dans le coma. Elle s'est affaiblie peu à peu, elle a eu de la fièvre, une pneumonie, et enfin, ses forces l'ont abandonnée.

Laurence se tut une fois de plus et reprit son souffle. Elle parlait depuis deux heures, mais elle avait encore des choses à nous dire.

Un traumatisme comme celui-là, même avec la foi que je croyais posséder, vous précipite dans la plus totale confusion. Je suppliais Dieu de me dire «Comment cela a-t-il pu se produire? Pourquoi avez-vous permis une chose pareille? N'avons-nous pas déjà suffisamment d'épreuves à supporter?» Je me sentais écrasée. Notre deuxième enfant, une fille, est mentalement handicapée. Avec elle, cela n'arrête jamais: la maladie, les médecins, les ajustements. C'est un réel défi que de s'occuper d'elle; chaque jour m'apporte sa dose de souffrance. Nous ne pouvons pas vivre comme les autres familles. Nous ne pouvons pas partir en voyage, c'est à peine si nous pouvons sortir avec notre fille. Je dois sans cesse trouver des réponses à mes questions. Mais bon, tout cela, c'est une autre histoire. De quoi faire un livre entier.

Je dois dire que j'ai pu faire face à la mort de Claudine parce que je crois que la vie a un sens et qu'elle ne s'interrompt pas avec la mort. Nous croyons à la résurrection, de sorte que pour nous, la mort de Claudine ne signifiait pas que tout était fini. Mais c'est difficile d'admettre que nous ne la reverrons plus ici-bas. C'est permanent. Elle ne s'est pas absentée pour deux semaines, comme si elle était allée dans un camp de vacances ou à l'université. Elle est partie pour toujours. Il y a eu des moments où ma douleur était si intolérable que je ne me croyais pas capable de la supporter. Mais quelque chose est arrivé qui a changé tout cela.

Je prie. Nous prions tous dans la famille. Au cours d'un de mes moments les plus difficiles, j'ai demandé à Dieu: «Seigneur, Vous allez devoir m'aider à passer au travers.» Et Il l'a fait.

Ma belle-sœur m'a raconté une histoire incroyable, presque malgré elle, car elle ignorait comment je prendrais la chose ou même si j'y croirais. Un jour que Claudine était dans le coma, l'esprit de ma fille, accompagné par ma grand-mère (qui est décédée) a rendu visite à ma belle-sœur, tandis qu'elle travaillait dans son jardin. La visite a duré deux minutes à peine, mais pendant ces deux minutes, l'esprit de Claudine a transmis à ma belle-sœur une quantité phénoménale de renseignements, qui m'a procuré une grande consolation et beaucoup de courage. J'ai compris que c'était une rare expérience spirituelle. Avant que cela ne se produise, je souffrais tant que je ne voulais rien voir qui puisse me rappeler ma fille. Je me suis débarrassée de toutes ses affaires. Mais après avoir entendu le récit de cet incident, mon deuil s'est transformé. Il est devenu aussi différent que le jour l'est de la nuit.

Claudine... c'est étrange: depuis qu'elle était toute petite, elle communiquait avec le monde spirituel. Elle écrivait des histoires d'anges, ou sur des parents décédés, et ses institutrices étaient toujours très fières d'elle. Cette «visitation» a donc été une chose très naturelle pour elle.

Les funérailles ont été très touchantes. De nombreux amis de Claudine y ont assisté. Les enfants s'approchaient du cercueil et ils éclataient en sanglots. J'ai pu les consoler en leur disant: «Tout va bien.» J'étais sincère.

S'il se peut que la tristesse de la mort et des funérailles soit entremêlée de joie, ce fut le cas. Le courage qui m'avait été redonné m'a permis de préparer ma petite fille. Je l'ai habillée. Je l'ai coiffée. Tous ces petits gestes ont mit fin à sa vie sur terre. C'étaient des gestes nécessaires. J'étais heureuse de pouvoir prendre mes responsabilités jusqu'au bout.

Je n'ai pas été très émotive lors des funérailles. La présence d'un si grand nombre de personnes m'a aidée à me distraire de moi-même. Ce n'est que quelques semaines plus tard que la détresse s'est emparée de moi. Auparavant, on m'aidait, on me portait secours; puis, quand tous les membres de ma famille sont rentrés chez eux, la vie était là qui m'attendait. Et le néant.

L'année qui a suivi la mort de Claudine a été un long anniversaire. Son anniversaire, ou la rentrée des classes... vous voyez ses amis monter à bord de l'autobus scolaire et vous vous rappelez qu'elle ne les accompagnera pas. Et puis vient l'Halloween. Le premier anniversaire de quoi que ce soit est le plus difficile, à vrai dire. Mais après la première année, ce fut beaucoup plus supportable.

Nous parlons très ouvertement de la mort de Claudine avec nos autres enfants, et ils semblent s'en porter très bien. Parfois, ils me font part d'une inquiétude ou d'une appréhension. Récemment, ma troisième enfant m'a demandé si elle tomberait malade, elle aussi, comme Claudine.

Mon seul regret est d'avoir grondé Claudine quand elle avait un comportement bizarre et d'avoir été trop sévère avec elle. Cela me ronge. Elle était en train de mourir et je m'acharnais sur elle. Pourquoi ai-je fait cela?

J'ai pu pleurer, me sentir seule, être triste. Mais mon mari accepte la mort de Claudine beaucoup plus difficilement. Il n'extériorise pas aussi facilement ses émotions.

Je suis en paix. Je sais qu'elle est bien là où elle est, qu'elle évolue, qu'elle progresse. Parfois, je sens sa présence autour de moi, je sens que nous communiquons.

J'ai demandé à Laurence de nous parler de sa propre enfance, car j'étais curieuse d'y déceler les indices de son rapport très sain avec la mort. Elle m'a fourni la réponse que j'attendais sans même avoir à réfléchir.

J'étais la plus jeune de huit enfants, et mon père est décédé quand j'étais toute petite. Quand je me remémore ce que je ressentais à cette époque, je constate que ma mère nous a inculqué une attitude très saine vis-à-vis de la mort. La mort n'était pas un sujet interdit. Mon père a été longtemps hospitalisé avant de mourir, et je demandais à ma mère: «Est-ce que Dieu le Père est venu chercher papa?» Elle s'assoyait avec moi et nous en parlions. J'ai eu une enfance si exceptionnelle, si stable, qu'il m'arrive de me sentir coupable quand je vois les terribles traumatismes que les autres ont subis. J'ai envie de les aider. Je veux transmettre cet équilibre à mes propres enfants, cette saine attitude face à la vie et à la mort.

Ma mère m'a beaucoup aidée à la mort de Claudine. Elle m'a permis de la pleurer aussi longtemps qu'il fallait. Elle est soutenue par la même foi religieuse que moi et croit que lorsqu'on sait ce qui se passe, tout est plus facile.

Tant de gens ne parviennent pas à faire face à la détresse et à la séparation d'avec leurs êtres chers. Je crois qu'ils souffrent plus que nécessaire. La mort est pénible, mais on l'accepte plus facilement quand on sait qu'elle n'est qu'un élément dans un tout beaucoup plus vaste.

Je crois sincèrement que chacun de nous mourra à son heure, que Dieu connaît bien ma famille et qu'il sait pourquoi et comment ma fille m'a été reprise. Je m'appuie sur cette foi pour vivre. Mais dans une autre vie, j'aurai la connaissance

parfaite. Je sais que, tant que nous observerons les comman-
dements de Dieu, nous serons ensemble.

Il y a des choses pires que la mort.

Même si vous n'êtes pas croyants, reposez-vous sur les souvenirs d'innocence et d'amour qui vivent en vous ou chez quelqu'un
d'autre; vous y trouverez une source d'inspiration et de courage en
temps de détresse. Ces remémorations auront le pouvoir de vous
donner accès à un contexte plus vaste qui vous permettra de voir et
d'accepter le deuil comme faisant partie intégrante de la vie. Au
XIIIe siècle, le poète mystique Rumi a chanté l'amour sublime qu'il
avait entrevu, un amour qui n'excluait personne, quel que soit son
dieu. Dans le poème ci-dessous, il nous invite à nous tourner du
côté de l'Amour.

> *Revenez, oui, revenez,*
> *Vous tous.*
> *Fidèles, infidèles, hérétiques ou païens.*
> *Vous avez fait cent promesses*
> *Et cent fois vous les avez rompues,*
> *Cette porte n'est pas la porte*
> *Du désespoir et de la frustration.*
> *Cette porte est ouverte à tous.*
> *Venez, venez tels que vous êtes*[1].

## Pour votre journal intime

Les sujets de rédaction ci-dessous vous aideront à relier à votre
vie les thèmes abordés dans le présent chapitre.

1. En trouvant le mot «déception» pour caractériser son deuil,
   Susan a pu décrire avec netteté la douleur qu'elle ressentait et
   lui trouver un sens. Qu'est-ce qui décrit le mieux votre
   détresse? Il se peut que vous deviez essayer plusieurs mots
   avant d'arrêter votre choix sur l'un d'eux. Par exemple,
   *néant, abandon, étouffement, manque.*

---

1. Rumi. Traduction libre.

Quand vous aurez trouvé le mot qui vous «parle» le mieux, écrivez tout ce que ce mot vous inspire. N'omettez pas de dire ce qu'il vous enseigne aussi. Si vous avez envie de dessiner ou de peindre pour mieux exprimer vos sentiments, faites-le.

2. Bill Bridge décrit la «zone de neutralité» comme un moment d'ajournement, d'apathie, d'absence, la période pendant laquelle on cherche une vue d'ensemble et on tente de s'abandonner, un temps d'attente, de rêves, de pensées inconscientes et de questionnements tels que «Que va-t-il se passer ensuite?» À quoi ressemble votre zone de neutralité? Vous êtes-vous culpabilisé d'y séjourner quelque temps? Pouvez-vous en parler comme d'une étape essentielle du deuil? Faites-le.

3. Un deuil peut ébranler nos convictions et nous donner l'impression que nous ne croyons plus à rien. Pour se remémorer les choses auxquelles on croit, on peut écrire une sorte de credo. *Credo* est un mot latin qui signifie «je crois». Un credo peut prendre la forme d'un long traité philosophique ou d'une simple suite de phrases, comme dans un poème ou une chanson.

Le fait d'énumérer certaines de vos croyances vous aidera à déceler vos valeurs profondes, celles qui sous-tendent toutes vos certitudes, par exemple, que la vie est importante et même sacrée.

Pour rédiger votre credo, dites ce que vous pensez des sujets suivants: la vie (humaine, animale, végétale), la terre et notre responsabilité envers elle, Dieu ou la religion, la souffrance, les enfants. En énumérant ainsi vos croyances, vous verrez que votre foi n'est pas statique. Elle se transforme en même temps que vous, parfois de jour en jour. Ne craignez pas d'écrire pour aujourd'hui en sachant que demain apportera sans doute d'autres certitudes.

Si l'un de ces énoncés vous étonne ou vous semble être un appel à la réflexion, interrompez votre énumération et couchez vos réflexions par écrit. Prenez votre temps. Ne vous pressez pas. Par exemple, vous pourriez commencer par:

«Au sujet de la vie, je crois que...»

Comme vous le faites toujours quand vous tenez ce journal intime, concluez votre séance de travail en complétant la phrase suivante:

«En conséquence de ce que je viens d'écrire, je...»

La dernière étape du deuil consiste à réinvestir l'intérêt, l'attention et l'énergie que vous avez jusque-là consacrés à votre perte dans de nouvelles activités ou de nouvelles relations qui célèbrent la vie. Mais avant d'en arriver là, il vous faut encore faire un dernier petit ménage.

# 10

# Que faire?

Une femme gravit au sommet d'une montagne pour y vivre tout un jour dans la solitude; elle relit le récit de sa vie et se remémore son bébé mort peu après sa naissance.

Au beau milieu de l'après-midi, elle creuse un trou au pied d'un grand pin. Elle brûle un bout de papier sur lequel elle a rédigé des mots d'adieu, puis elle en dépose les restes calcinés dans le trou avec quelques objets choisis: un coquillage, un ruban rose, une photographie, et d'autres trésors découverts au hasard de ses promenades: une fleur, un caillou, un fragment d'os. Chacun de ces objets représente quelque chose pour elle. En les enterrant, elle les sanctifie.

À mains nues, elle recouvre de terre ces symboles de sa perte et chantonne doucement. C'est une chanson très personnelle qu'elle fredonnait pendant sa grossesse, une chanson qui apaisait le bébé dans son sein.

Elle demeure assise longtemps à contempler la petite sépulture. Elle a mal de se souvenir, mais oublier est encore plus douloureux. Elle pleure, et ses larmes la purifient.

Quand le soleil disparaît à l'horizon, elle se lève et retourne lentement à sa voiture. Le rituel a pris fin.

Elle a souvent fait des choses semblables et elle le refera, dans plusieurs années sans doute. Elle pleurera sa perte; elle rendra hommage à la blessure qui lui a fendu le cœur; puis elle poursuivra sa route.

\*   \*   \*

Les centaines, les milliers de personnes qui pleurent la perte d'un enfant ou de ceux qu'elles n'ont pas eus vivent leur deuil chacune à leur manière, chacune à leur rythme. Mais de nos jours, devenus plus sensibles à l'importance du deuil dans le processus de guérison, nous avons à notre disposition de nombreuses ressources qui apaisent les besoins du corps, de l'esprit, des émotions et de l'âme. Elles ne diminuent en rien notre détresse, mais elles peuvent nous aider à guérir tout en préservant notre équilibre et à reprendre le fil de notre vie au lieu de demeurer prisonniers d'un cycle interminable de dépression, de peur, de révolte ou de culpabilité. Loin de nous laisser écraser ou rendre fous, nous pouvons empoigner notre affliction et la comprendre de manière à donner un sens plus profond à toute notre existence.

Le recours à un rituel, comme les gestes très simples et personnels que nous avons décrits précédemment qui facilitent le deuil, est de plus en plus populaire et encouragé, de même que la tenue d'un journal intime, comme nous le préconisons dans cet ouvrage; son efficacité a été largement démontrée. Le fait de noter régulièrement ses impressions peut même améliorer l'état de santé d'une personne. Des tests sanguins effectués à la Southern Methodist University ont démontré que les personnes gravement malades qui couchent par écrit les émotions et les faits concrets associés à leur maladie renforcent davantage leur système immunitaire que celles qui se contentent de sujets sans importance. Le présent chapitre vous remémorera ce que vous savez déjà et croyiez avoir oublié et vous incitera à faire appel aux ressources disponibles. Tandis que vous entamez ou, plus vraisemblablement, poursuivez votre travail de deuil, elles se révéleront non seulement utiles, mais inestimables.

Puissiez-vous trouver en vous-mêmes le courage, la force et la joie de poursuivre ce travail jusqu'au bout.

### Pour venir en aide au corps qui souffre

Le deuil gruge autant vos forces physiques que vos forces émotionnelles. Voilà pourquoi il est si important de veiller davantage à votre bien-être physique durant cette période de stress.

Le stress ne débouche pas nécessairement sur la maladie; certaines personnes en tirent même un surcroît d'énergie. Mais quand il s'accompagne de dépression, de tristesse, de révolte, de confusion ou de tout autre état émotionnel épuisant, il tend à affaiblir le système immunitaire et il prédispose la personne en deuil aux malaises physiques.

Plus vous demeurez actifs et soucieux de préserver votre santé, plus vous accroîtrez votre résistance.

Pour veiller à votre bien-être physique:

- Évitez autant que possible de vous créer des dépendances. Le stress nous porte à abuser du café, du tabac ou de l'alcool. Sachez en user avec modération, car loin de diminuer le stress, ces substances auraient plutôt tendance à l'augmenter.
- Dormez suffisamment, et même plus que d'habitude. Ne vous culpabilisez pas de recourir au sommeil pour faciliter votre guérison. Le sommeil est très thérapeutique.
- Surveillez votre alimentation. Un deuil profond bouleverse tout l'organisme. Vous constaterez peut-être que vous êtes davantage portés à trouver un réconfort «maternel» dans la nourriture (ce qui est compréhensible). Efforcez-vous, par conséquent, de prendre au moins un repas équilibré par jour. Consommez des fruits et des légumes frais, et des céréales de grains entiers le plus souvent possible. Évitez les aliments qui ralentissent la digestion, tels que les matières grasses qui fatiguent le foie, l'excès de pain, de pâtes ou d'autres hydrates de carbone qui bloquent l'intestin et vous procurent une sensation de satiété, mais n'ont qu'une faible valeur nutritive.
- Buvez beaucoup d'eau. En nettoyant votre système, l'eau empêche votre «corps» émotionnel de stagner et ajoute à votre bien-être. L'ajout d'une petite quantité de jus de fruits à l'eau (environ dix centilitres par demi-litre d'eau) rendra son absorption plus agréable. Efforcez-vous de boire huit grands verres d'eau par jour ou prenez l'habitude de toujours avoir une bouteille d'eau à vos côtés pendant la journée.
- Soyez plus conscients de votre respiration; l'oxygène vous éclaircira l'esprit et conservera l'équilibre de votre métabolisme.

Le deuil tend à se loger dans la poitrine, la gorge et les poumons. Ces régions du corps sont davantage opprimées quand l'organisme est menacé. Pour apaiser votre douleur, vous pourriez contraindre votre respiration à votre insu. Si vous êtes essoufflés ou si vous avez l'impression de «manquer d'air», sachez que c'est une réaction normale.

Respirez profondément sans effort, en expirant aussi complètement que possible, en expulsant tout l'air de vos poumons. Puis laissez la nature faire son travail. L'air se précipitera pour combler le vide que vous venez de créer et vous inhalerez plus profondément. Répétez cet exercice deux ou trois fois quand vous y pensez. Affichez partout autour de vous ce bref message: *respire!* Chaque fois que vous en apercevrez un, arrêtez-vous et faites l'exercice que nous venons de décrire.

Soupirez aussi fort et aussi profondément que vous en ressentez le besoin quand une pensée douloureuse vous assaille. Soupirer est un réflexe normal qui vous aidera à respirer plus profondément.

Ouvrez les fenêtres ou sortez plusieurs fois par jour pour faire provision d'air frais.

* Faites régulièrement un exercice aussi vigoureux que possible. Ceci vous aidera à bien respirer, à vous débarrasser de votre anxiété et à revigorer votre organisme. Marchez d'un bon pas, ne serait-ce qu'à l'intérieur de la maison ou de l'appartement. Dansez sur une musique rythmée. Sautez sur un mini-trampoline pour varier votre menu d'exercices. La marche à l'extérieur, le jogging, la bicyclette, le tennis ou la natation vous procureront également de grands bienfaits.

Dans mes ateliers, je préconise la danse comme forme d'exercice. Une bonne musique rock ou toute autre musique fortement rythmée aide les participants à s'abandonner à leur corps, à quitter leurs pensées pour entrer dans leur ventre, leurs jambes, leurs pieds. Ce type de danse n'est pas forcément joli ou harmonieux. Endiablée et sauvage, elle favorise la transe, et c'est précisément pour cette raison que j'y ai recours. Certains genres musicaux nous obligent à prendre contact avec le sol sous nos pieds et à ouvrir des canaux d'énergie jusque-là engorgés par nos émotions refoulées (mon groupe rock préféré est originaire de l'Arizona et s'appelle

Liars, gods, and beggars: consultez le guide en fin de volume).
J'encourage les participants à exprimer leur peur, leur confusion,
leur révolte ou leur détresse par la danse.

Si vous voulez danser sur de la musique, faites-le plusieurs fois
par semaine pour en retirer le maximum de bienfaits. Danser sur la
même musique chaque fois créera un sentiment de familiarité et de
sécurité qui vous incitera à vous exprimer de plus en plus profondément.

Jardinez, ramassez des feuilles, lavez les vitres pour remplacer le
conditionnement physique, mais faites *quelque chose,* si possible
plusieurs fois par semaine. Faites des exercices d'étirement et de
relaxation. Combiné aux activités plus vigoureuses, l'étirement
accroît la flexibilité, favorise la relaxation et régénère l'organisme
dans sa traversée du deuil. Le yoga est particulièrement bénéfique
en ce sens qu'il associe l'étirement et la respiration. Si vous ne faites
rien d'autre, faites des exercices d'étirement plusieurs fois par jour
afin de réduire les tensions causées par le stress.

Pour vous aider à vous détendre, écoutez de la musique apai-
sante, même si celle-ci vous porte à pleurer. Pleurer contribue à
combattre les effets du stress.

Détendez-vous en prenant un bain ou une douche. L'eau est
une des substances les plus thérapeutiques à votre disposition.

- Laissez-vous toucher. Demandez à un être cher de vous
  étreindre ou simplement de vous enlacer autant que vous en
  avez besoin. Si possible, offrez-vous régulièrement ou de
  temps en temps un massage. Renseignez-vous auprès de vos
  amis ou consultez le babillard de votre magasin d'aliments
  naturels pour connaître les massothérapeutes de votre
  région.

- Rapprochez-vous de la terre, de l'eau, du ciel. La nature est
  cyclique: elle naît, croît, dégénère, meurt et renaît. Ses cycles
  nous renseignent sur le déroulement organique de la vie et de
  la mort et peuvent nous aider à situer le deuil dans une perspective plus vaste. Offrez-vous la nature en cadeau: sortez.
  Marchez sur la plage. Gravissez un sentier de montagne.
  Reposez-vous sous un arbre ou dans un jardin. Étendez-vous
  dans un pré, sur une pelouse ou sur un rocher. Laissez le

soleil caresser votre peau. Prenez un bain de lune. Observez les étoiles. Parlez de votre détresse au ciel, à l'eau, à la terre ou aux arbres. Écoutez leurs réponses.

## LE SOUTIEN AFFECTIF EN PÉRIODE DE DEUIL

Les émotions que l'on refuse d'assumer ou d'exprimer s'emballent, avec des conséquences parfois néfastes. La tristesse, la révolte ou la peur refoulées ne disparaissent pas d'elles-mêmes. Elles vont se loger dans les muscles, les articulations et les organes du corps, elles manifestent leur présence par des malaises physiques ou des affections plus graves. Elles transmettent des signaux de détresse au cerveau, réduisant ainsi l'aptitude du corps à combattre l'infection. Il en résulte des ulcères d'estomac, des éruptions cutanées, des maux de tête, des troubles digestifs et bien plus encore.

Comme si cela ne suffisait pas, le stress émotif prive la vie de toutes ses couleurs et notre univers personnel de tout son sens. Il influence nos décisions, notre aptitude à communiquer et la façon dont nous élevons nos enfants. Certaines personnes fuiront les relations interpersonnelles, d'autres les multiplieront sans discernement pour tenter d'apaiser l'anxiété affective consécutive à la perte d'un enfant.

Les «soupapes» émotives périodiques qui contribuent à réduire les tensions associées au deuil constituent la meilleure prévention. Voici quelques-uns des remèdes les plus efficaces que je connaisse:

- Les groupes de soutien, c'est-à-dire les groupes d'aide. Ce mouvement qui favorise l'entraide entre individus qui doivent affronter des problèmes similaires a pris beaucoup d'ampleur depuis quelques années. On trouve facilement dans les grandes villes ou mêmes plusieurs petites villes de province des groupes de personnes qui se réunissent pour parler entre elles de leurs deuils ou de leurs maladies. Bien que de tels groupes de soutien ne puissent remplacer une psychothérapie ou une psychanalyse, ils sont un complément appréciable à la thérapie individuelle.

Il existe tout un éventail de groupes de soutien: pour les parents qui viennent de perdre un bébé à l'occasion d'une fausse couche, dont le bébé est mort-né ou décédé peu après sa naissance; pour les hommes et les femmes stériles; pour ceux qui envisagent l'avortement; pour les femmes qui ont déjà subi un avortement; pour les femmes en situation de crise; pour les parents dont l'enfant est décédé; pour les pères qui parviennent difficilement à obtenir la garde de leurs enfants; pour les personnes victimes d'abus sexuel, physique ou psychologique dans leur enfance; pour les parents d'enfants fugueurs, et ainsi de suite.

Renseignez-vous à l'hôpital de votre région; consultez la rubrique Services sociaux de votre annuaire téléphonique pour trouver la liste des groupes d'aide de votre région. Certains quotidiens annoncent la date et l'heure de certaines réunions régulières ou les activités spéciales de certains groupes dans le cadre de leur calendrier des événements.

À défaut d'un groupe de soutien structuré, vous pouvez bénéficier de la sympathie de vos amis, préférablement du même sexe, dans la mesure où ceux-ci sont disposés à vous écouter sans porter de jugement sur vos émotions ou vos opinions et sans vous prodiguer des conseils inutiles dans le seul but de vous «consoler». Vous devez trouver votre orientation en explorant votre détresse, en cherchant en vous-mêmes votre propre apaisement ainsi que les conseils qui pourront vous guider. Le présent ouvrage et ceux que nous mentionnons en fin de volume faciliteront votre cheminement. Lisez un chapitre en compagnie de vos amis, puis discutez de vos réactions à cette lecture. En racontant mon histoire à des témoins affectueux, j'ai constaté que cette approche est l'une des plus salutaires, pour ne pas dire essentielles.

- Consultez des professionnels: thérapeutes, conseillers, directeurs de conscience, psychologues et psychiatres dispensent des services professionnels et peuvent vous venir en aide tout au long de votre travail de deuil ou à certaines étapes critiques. La thérapie n'est pas réservée aux personnes atteintes d'un déséquilibre psychologique grave et, dans certains cas, la consultation psychiatrique, naguère stigmatisée, est devenue symbole d'élévation sociale («comme dit mon psy...»). Je suis d'avis que nous pouvons presque tous tirer profit à certaines époques de notre vie des services d'un thérapeute professionnel.

Si les rubriques «Psychologues» et «Conseillers» de votre annuaire téléphonique peuvent vous guider dans vos recherches, il est néanmoins préférable de vous fier aux recommandations d'une personne de votre connaissance qui a déjà eu recours aux services du thérapeute que vous envisagez de consulter. Renseignez-vous auprès de vos amis ou de vos coparoissiens.

De nos jours, de nombreux thérapeutes ont reçu une formation en matière de deuil. Pour mieux vous familiariser avec les compétences et l'expérience de celui que vous envisagez de consulter, prévoyez un entretien avec lui avant d'entreprendre votre thérapie proprement dite.

Soyez un consommateur averti; n'hésitez pas à poser des questions à votre thérapeute pour déterminer si son expérience correspond à vos besoins.

## COMMENT SAVOIR SI L'ON DOIT CONSULTER UN THÉRAPEUTE?

Vous vous demandez si vous devriez consulter un thérapeute? N'hésitez pas à le faire. Il vaut toujours mieux prévenir que guérir. Bien souvent, une ou deux rencontres avec un thérapeute ou un directeur de conscience (renseignez-vous auprès de votre ministre du culte) suffiront à vous redonner confiance.

Consultez absolument si:
- vous songez au suicide, si vous souhaiteriez tomber malade ou mourir;
- vous êtes perpétuellement violent, furieux, agressif ou injurieux envers vous-mêmes et envers les autres;
- vous avez un problème d'alcool ou de drogues, une dépendance quelconque ou si vous souffrez de troubles alimentaires;
- vous manquez d'énergie et vous êtes triste, ou vous êtes encore dépressif plus d'un an après avoir subi une perte;
- vous vous culpabilisez sans cesse, vous n'avez aucune estime de vous-mêmes, vous avez honte ou vous vous croyez responsable de la perte subie, même deux ou trois ans après qu'elle a eu lieu;
- votre mariage ou toute autre relation importante est en péril;
- on vous a conseillé de consulter un thérapeute;

Vous pourriez bénéficier d'une thérapie si:
- vous éprouvez de la difficulté à parler de votre deuil à vos amis ou aux membres de votre famille;
- vous vous sentez seul et déprimé;
- vous craignez que vos émotions et votre comportement soient anormaux;
- vous ne trouvez d'aide nulle part ou vous aimeriez pouvoir constituer un groupe de soutien;
- vous avez de la difficulté à gérer votre vie financière, à vous concentrer sur votre travail, à vaquer à vos occupations domestiques et à veiller sur votre famille;
- vous ne parvenez pas à prendre la «bonne» décision;
- vous vous querellez régulièrement avec votre conjoint, vos enfants, les autres membres de la famille;
- votre deuil a réveillé un traumatisme de votre enfance et vous aimeriez profiter de l'occasion qui vous est offerte de travailler à votre apaisement général et à votre épanouissement personnel.

## LES ÉMOTIONS FORTES OU BOULEVERSANTES

L'un des aspects les plus bouleversants du deuil est la sensation que l'on éprouve de «devenir fou» et de ne pas savoir comment composer avec les émotions qui nous assaillent, les forces qui s'opposent en nous ou le manque d'énergie. Sachez, avant tout, que ces émotions fortes et cette confusion sont des réactions normales pendant la première année du deuil; après qu'elles se seront estompées, elles se manifesteront de nouveau périodiquement tout au long de votre vie et plus particulièrement durant les premières années qui suivront votre perte.

Mais ces émotions peuvent contribuer à favoriser votre guérison. Si, au lieu de les refouler, on exprime sa révolte, sa peur, sa détresse, sa confusion et son soulagement, leurs vagues nous emportent dans leur flux et leur reflux. Vous serez parfois ramenés au début de votre vie et vous pourrez pleurer les pertes dont vous n'aviez pu faire le deuil à cette époque. C'est du reste le but du présent ouvrage.

Vous disposez de centaines de moyens pour faire face par vous-mêmes à vos émotions, mais en voici quelques-uns qui se sont révélés particulièrement efficaces:

Pour stimuler vos émotions:
- Faites de l'exercice, dansez, bougez ou adonnez-vous à une activité vigoureuse (voir la section précédente).
- Criez: dans un oreiller; quand vous êtes seul à la maison; dans la voiture, dont vous aurez pris soin de remonter les vitres; dans un endroit isolé.
- Consolez votre «enfant intérieur» et prenez-en soin. Cette partie de vous-mêmes qui craint les émotions trop vives et trop bouleversantes a besoin d'être consolée tout au long du processus de deuil. Tout en pleurant votre perte, vous devez reconnaître la présence et l'importance de l'enfant affligé en vous. De nombreux adultes n'hésitent pas, de nos jours, à étreindre un gros animal en peluche quand des souvenirs douloureux reviennent les hanter. Ils dorment avec lui ou l'emportent dans leur voiture. Un nounours, ou tout autre animal réconfortant, peut vous procurer un sentiment de sécurité et aider la part trop adulte de votre personnalité à se détendre pour permettre à l'enfant en vous de sortir et jouer.

Certaines activités ludiques peuvent aussi réconforter votre enfant intérieur: vous balancer, faire des glissades, passer une journée à la plage, faire une promenade en forêt, aller à la pêche. Vous pourriez aussi danser, faire du bricolage, vous plonger dans un bain moussant ou lire un bon livre au coin du feu. Il s'agit de vous occuper à des activités qui vous font plaisir, qui vous sécurisent et qui vous procurent le sentiment d'être aimés, en particulier de vous-mêmes.

La bibliographie vous renseignera sur les ouvrages susceptibles de vous aider à renforcer votre relation avec votre enfant intérieur.
- Faites du dessin, de la peinture ou de la sculpture, ou jouez avec de la glaise. Pour les très nombreuses personnes qui éprouvent de la difficulté à exprimer leurs émotions avec des mots, l'expression non verbale, surtout l'expression artistique, peut se révéler extrêmement profitable quand il s'agit de libérer leur énergie créatrice. Les participants à mes ateliers

sont toujours agréablement surpris des résultats quand ils créent une représentation picturale de leur perte, de leur peur, de leur détresse ou de leurs espoirs. Je leur suggère toujours de commencer par barbouiller abondamment le papier au moins à deux reprises, car cela contribue à effacer la notion voulant que «l'art est l'expression de la beauté». Ensuite, choisissant les couleurs qui correspondent le mieux à leur état intérieur, ils les étalent librement sur le papier.

Cette façon d'aborder le dessin ou la peinture en se libérant d'abord du stress suffit parfois à procurer à l'individu un soulagement à sa détresse, rend un certain éclairement possible, permet d'envisager le deuil dans une perspective plus vaste et procure une certaine paix intérieure. (Pour des exercices spécifiques, consulter les ouvrages de Lucia Capacchione mentionnés dans la bibliographie.)

• Écrivez et tenez un journal intime. Ainsi qu'il en a été question tout au long de ce livre, l'écriture nous permet d'accéder à cette sagesse intérieure qui nous semble si hors de portée quand on est plongé au cœur de l'affliction. Relisez le chapitre 2 si vous manquez de motivation pour écrire. En fait, je vous suggère de relire régulièrement ce livre et de faire les exercices qui y sont proposés. Deux de mes approches favorites de l'écriture consistent à compléter des amorces de phrases et à rédiger des lettres. Accordez-vous quelques minutes maintenant pour compléter les amorces de phrases qui suivent d'autant de façons que vous le désirez:

1. Si je réfléchis aux mois qui viennent de s'écouler, je...

2. Je me suis senti beaucoup plus mal quand:...

3. Je me suis senti un peu mieux quand:...

4. Je souhaite...

5. Je veux...

6. Je me promets de...

7. Cet exercice m'a fait prendre conscience de...

L'écriture épistolaire: racontez votre histoire, exprimez vos besoins et vos doutes à une personne qui vous est chère ou à un ami imaginaire.

L'écriture épistolaire est un des moyens les plus efficaces pour parvenir au terme du deuil d'un enfant. Il se peut que vous éprouviez une douleur particulière à la pensée que votre enfant n'aura jamais pu vous connaître. Une lettre qui expliquerait qui vous êtes, quelles sont vos valeurs, ce que vous auriez souhaité pour votre enfant, et ainsi de suite, vous aidera à identifier des émotions qui, à défaut, erreraient en désordre dans votre tête. Pour clore la boucle, vous pouvez ensuite brûler symboliquement vos lettres ou les enterrer, ou encore les conserver pour les relire en d'autres occasions. (Voir le passage sur les rituels, un peu plus loin.)

- Écrivez de la main gauche si vous êtes droitier et de la main droite si vous êtes gaucher. De nombreux thérapeutes ont adopté cette technique qui favorise l'accès aux domaines refoulés de l'être dans le but de faciliter la guérison des blessures anciennes et la prise en charge des détresses présentes. Le fait d'écrire «de l'autre main» est souvent extrêmement révélateur et provoque le plus souvent l'extériorisation d'émotions refoulées.

Faites l'essai de ce qui suit: prenez une grande feuille de papier au haut de laquelle vous écrirez, de la main droite si vous êtes droitier et de la main gauche si vous êtes gaucher et en vous servant du crayon de votre choix, la phrase suivante: «Voici ce qu'il m'est *le plus difficile à supporter* à ce moment-ci de ma vie.» Puis, de «l'autre main», énumérez ces difficultés. Dites-vous que vos réponses proviennent d'une partie de vous qui a besoin de se faire entendre.

Passez ensuite à l'étape suivante: rédigez un «dialogue» entre ces deux mains. La main dominante rédige une question concernant un des aspects de votre liste, la main de «l'enfant intérieur» y répond. Pour plus de renseignements concernant ce processus fascinant et très révélateur, consultez l'ouvrage de Lucia Capacchione, *Recovery of Your Inner Child*, New York, Fireside, Simon and Schuster, 1991.

### RESSOURCES SPIRITUELLES

• La prière. La prière, pour moi, n'a rien d'extraordinaire. C'est essentiellement le rappel du lien entre Dieu et moi. Que le mot «Dieu» ait ou non pour vous un sens, il vous serait sans doute profitable, particulièrement en période de détresse, de vous accorder quelques moments de répit pour réfléchir au lien qui vous unit à quelque chose de plus grand que vous dans l'univers, vous le remémorer ou vous y reposer. S'en remettre à Dieu de nos peines, ou (comme le formulent les programmes en douze étapes) admettre «que nous étions impuissants [...] et que notre vie était indépendante de notre volonté [...] nous en sommes venus à croire que seule une Puissance supérieure nous ferait retrouver nos esprits [...] nous avons décidé de placer notre volonté et notre vie entre les mains de Dieu». De telles déclarations possèdent le pouvoir de nous rassurer, de nous rappeler que nous ne portons pas seuls notre croix.

Une détresse intense nous fera souvent remettre en question notre relation avec Dieu, car nous sommes portés à tenir Dieu responsable de nos pertes. Si c'est votre cas, ne vous inquiétez pas. Les grands chaos intérieurs sont souvent porteurs d'une grande évolution spirituelle, car ils nous forcent à nous affranchir de nos vieux concepts de «Dieu» pour que Sa réalité, l'Ultime Puissance supérieure puisse naître en nous.

• Les rituels. Non seulement notre société nord-américaine possède fort peu de rituels signifiants, elle tend même à considérer tout ensemble de rites comme un exercice vain et dépourvu de sens. Le souvenir désagréable des cérémonies religieuses auxquelles nous avons été exposés quand nous étions jeunes contribue à dénigrer à nos yeux toutes ces formes d'expression.

Pourtant, l'on peut constater un peu partout une résurgence des rituels qui est sans doute due à un éveil de notre intérêt pour les coutumes autochtones. De plus en plus de gens soulignent, par des gestes ou des actes symboliques, simples et très personnels, les événements marquants de leur vie, que ceux-ci soient tristes ou heureux. On peut, de mille et une façons, reconnaître concrètement et marquer d'une pierre blanche les rapports entre le corps, les émotions, les forces de la nature, la puissance divine, les pensées, les rêves et les espoirs. C'est le propre du rituel.

Par le rituel, les choses ordinaires de la vie – la terre, une lettre, une fleur, une bougie, un récipient rempli d'eau, un repas, une promenade en forêt – prennent une valeur de symbole en vertu de l'attention qu'on leur accorde. Il suffit de souligner le caractère essentiellement sacré de tout ce qui compose la création. Par le rituel, le sacré devient pour nous, pour les autres et pour l'univers dans lequel nous vivons, un instrument de guérison.

• La clémence. Vous prendrez un jour conscience de vos rancunes envers vous-mêmes ou envers quelqu'un d'autre. Devant votre déchirement, vous prendrez conscience du déchirement de vos semblables. Vous vivrez un moment d'éveil spirituel. De tels instants sont fugaces. Voilà pourquoi la clémence doit faire partie de votre vie.

La clémence n'est pas tant le résultat spontané d'une disposition naturelle que la mise en pratique d'une décision. On peut *ne pas ressentir* de clémence. La question n'est pas là. La clémence n'est pas un sentiment, mais un acte de volonté. On peut décider de fuir l'enfer, la souffrance que nous occasionnent le fait de blâmer autrui, de se poser en victime, de se mépriser ou de haïr les autres. Une fois cette décision prise, nous devons la réitérer encore et encore, et faire preuve de patience. Nous entrons peu à peu dans la clémence au fil des ans; elle entre dans notre vie parce que nous le voulons.

• Les rêves. Au moment de rédiger les derniers chapitres de cet ouvrage, j'ai fait un rêve merveilleux. J'y donnais naissance à un enfant, un petit garçon appelé André (ce prénom d'origine grecque signifie «courageux»). Non seulement ai-je ressenti les douleurs physiques de cet accouchement, j'ai aussi tenu mon bébé dans mes bras et je l'ai allaité. Ensuite, je l'ai regardé grandir et devenir un beau et solide jeune homme. À mon réveil, je savais que j'avais eu un enfant dans un autre univers, que l'on pourrait appeler «l'univers de l'esprit». J'avais un fils spirituel, et ce fils était en quelque sorte un ange gardien disposé à m'aimer et à me venir en aide. Naturellement, *je* suis André. Mais mon rêve m'a permis de le reconnaître et de célébrer la vie qui renaît en moi à chaque instant.

Les rêves, même les rêves douloureux, peuvent procurer beaucoup de réconfort à la personne en détresse. Vous pouvez rêver de l'enfant que vous avez perdu. Vous pouvez éprouver en rêve un grand soulagement, être persuadés que ce n'est pas un rêve et que votre enfant vous a été rendu. Votre réveil sera sans doute doux-amer. Mais ces moments nous aident à pleurer nos pertes. Ils sont aussi parfois porteurs de «messages» de nos êtres chers ou de messages qui les concernent.

Un thérapeute expérimenté peut vous aider à mettre vos rêves à contribution dans votre épanouissement et votre guérison. Si vous préférez travailler seul, de nombreux ouvrages sur ce sujet sont aujourd'hui disponibles. Consultez la bibliographie.

• Rendre service. Tendre la main aux autres, non pas pour oublier votre souffrance, mais parce que vous en connaissez le poids, est l'un des moyens les plus précieux à votre disposition pour voir votre deuil sous son vrai jour.

## CONCLUSION

— Elle disait que nous devons tous devenir mères; que tout, en fait, doit être mère, fit le jeune homme.

Il parlait d'une femme qui venait de mourir, Dina Rees, médecin, maître spirituel, guérisseuse de renom, mère de dix enfants. Elle avait vécu en Allemagne, près de Fribourg.

Je m'étais rendue à Fribourg pour effectuer une recherche sur certaines femmes remarquables dans l'histoire de l'humanité: des saintes, des mystiques, des guérisseuses, mortes et vivantes. Ma rencontre avec Dina, en 1988, m'avait laissé le souvenir impérissable d'une des plus impressionnantes et des plus attachantes femmes que j'aie jamais connues. J'avais hâte de demander à quelques-uns de ses amis intimes et de ses étudiants quel projet avait été au cœur de sa mission. Certains ont parlé de sa compassion, d'autres de son abnégation. On a relaté les miracles qu'elle avait accomplis ainsi que des anecdotes amusantes. Mais cette remarque sur la nécessité «d'être mère» m'avait le plus marquée.

— Qui que nous soyons, homme ou femme, dis-je en m'efforçant de recréer le plus fidèlement possible la brève conversation que j'avais eue avec ce jeune homme, nous avons besoin d'un contact avec l'énergie primordiale représentée par la «mère»: le pouvoir d'engendrer, la créativité, le maternage, la protection, l'orientation, la persévérance, la sensibilité, la douceur mêlée à la force.

À défaut de ce contact, nous nous privons de la moitié de notre héritage et condamnons notre enfant intérieur à une vie de privations. À défaut de ce contact, nous abordons le monde une main attachée derrière le dos. Dieu sait que le monde a bien besoin de parents conscients et en pleine possession de leurs moyens.

Pour beaucoup d'entre nous (hommes ou femmes), la maternité symbolique préconisée par Dina n'est pas un don naturel. Nous devons plutôt travailler à la faire renaître, à la vivre consciemment. Si nous n'avons jamais accouché d'un enfant, si nous n'avons jamais eu d'enfants sous notre responsabilité, cette notion de maternité est sans doute difficile à comprendre: une bonne idée, mais qui ne trouve aucun point d'ancrage dans notre corps.

La perte d'un enfant peut nous rendre sensibles à l'«absence de mère» ou à «l'insuffisance de mère» à l'origine de la violence, des séparations et de la souffrance qui sont notre lot quotidien. Que nous soyons homme ou femme, notre détresse peut nous rendre accessible ce féminin où nous nous abandonnons à la vie et recevons plus volontiers les présents qu'elle nous offre. Notre détresse nous brisera le cœur, mais elle ne fera pas de nous des êtres malheureux.

Par sa blessure ouverte, l'âme est plus sensible au travail de l'esprit. Le souvenir de l'enfant que vous avez perdu, ce manque que vous ressentez vous font pénétrer dans le cœur même de Dieu. Susan se joint à moi pour vous souhaiter tout le courage et la force nécessaires à votre travail de deuil et un bonheur profond comme fondement de toute votre existence.

Enfin, je suis heureuse de vous offrir ici un poème d'un autre collègue et ami poète, Gregory Campbell. C'est une prière; elle exprime mes sentiments à la perfection.

*LE JOUEUR DE CHALUMEAU*
*L'un après l'autre*
*On m'a pris mes enfants*
*En dépit de mes larmes.*
*Il ne m'est plus resté que mon visage*
*et mon angoisse.*
*Et j'ai dû enfin me tourner vers Dieu.*

*Le Seigneur, dans sa Miséricorde,*
*a vu que je voulais mourir,*
*et le Seigneur, dans sa Miséricorde,*
*a permis que je meure.*

*Il a pris mon visage, mon corps a disparu,*
*mon angoisse a pris fin.*

*Je possède aujourd'hui cette Science invincible:*
*par la Vérité de cette mort*
*tous les enfants sont les miens.*
*Je suis celui*
*qui joue du chalumeau.*

*Ton enfant me suivra.*
*Si tu es sage,*
*Tu suivras ton enfant.*

*Voici le chant que je chante pour eux,*
*mon seul et unique chant:*
   *«Je vais retrouver Dieu,*
   *Je vais retrouver Dieu,*
   *Je ne reviendrai pas...»*

*Tu peux venir aussi.*
*Au bout du compte*
*il faudra que tu viennes.*

*        *   *   *

*«... Car il nous a conduits [...] vers une terre heureuse,*
*Près de la ville, à portée de la main,*
*Où l'eau se ruait en cascade et les arbres ployaient sous les fruits,*
*Où la couleur des fleurs était plus belle,*
*Où tout était étrange et si nouveau[1]...»*

---

1. Gregory Campbell, *«Yes, You Can Kiss My Bare Feet...» our children are always saying – prose and poetry in celebration of our innate innocence*, Prescott, Hohm Press, 1987. Reproduction autorisée.

# Bibliographie et suggestions de lecture

## SUR LE DEUIL EN GÉNÉRAL

Bridges, Bill, *Transitions: Making Sens of Life's Changes*, Reading, Addison-Wesley, 1980.

Kouri, Mary K., *Keys To Dealing With Loss of A Loved One*, Hauppauge, Barron's Educational Series, 1991.

Kubler-Ross, Elisabeth, *Les derniers instants de la vie*, traduit de l'anglais par Cossette Jubert et Étienne de Peyer, Genève, Labor et Fides, 1975.

— *Living With Death And Dying*, New York, Macmillan, 1981.

Levine, Stephen, *Healing Into Life and Death*, New York, Bantam Publishing, 1987.

Stearns, Ann Kaiser, *Living Through Personal Crisis*, New York, Ballantine Books, 1984.

## SUR LES FAUSSES COUCHES

Ilse, Sherokee et Burn, Linda H., *Miscarriage: A Shattered Dream*, Wintergreen Press, 1985.

Williamson, Walter, *Miscarriage: Sharing the Grief, Facing the Pain, Healing the Wounds*, New York, Walker and Company, 1987.

## SUR LA MORT ET LES ENFANTS

Kubler-Ross, Elisabeth, *On Children and Death*, New York, Macmillan, 1983.

Schiff, Harriet Sanoff, *The Bereaved Parent*, New York, Penguin Books, 1977.

Von Schilling, Karin, *Where Are You?: Coming to Terms with the Death of My Child*, Hudson, New York, Anthroposophic Press, Inc., 1988.

## SUR LE DÉCÈS D'UN BÉBÉ

David, Deborah L., *Empty Cradle, Broken Heart: Surviving the Death of Your Baby*, Golden, Fulcrum Publishing, 1991.

Limbo, Rana I. et Wheeler, Sara R., *When A Baby Dies: A Handbook for Healing and Helping*, Holmen, Harsand Press, 1988.

## SUR L'AVORTEMENT

Nathanson, Sue, *Soul Crisis: One Woman's Journey Through Abortion to Renewal*, New York, NAL/Dutton, 1989.

## SUR L'ADOPTION

Arms, Suzanne, *Adoption: A Handful of Hope*, Berkeley, Celestial Arts, 1992.

## SUR LE DEUIL MASCULIN

Knapp, Ronald J., *Beyond Endurance: When a Child Dies*, New York, Schoken Books, Inc., 1986.

Staudacher, Carol, *Men and Grief*, Oakland, New Harbinger Publications, 1991.

## SUR LES ENFANTS HANDICAPÉS

Buscaglia, Leo, *The Disabled and Their Parents – A Counselling Challenge*, Thorofare, Slack Inc., 1983.

Featherstone, Helen, *A Difference in the Family – Living with a Disabled Child*, New York, Penguin Books, 1981.

## Sur les enfants de parents divorcés

Berger, Stuart, M.D., *Divorce Without Victime – Helping Children*, New York, Signet Books, 1986.

Despert, J. Louise, M.D., *Children of Divorce*, New York, Doubleday and Co., 1953.

Mitchell, Ann, *Children In the Middle – Living Through Divorce*, New York, Tavistock, 1985.

Wallerstein, Judith S. et Kelly, Joan Berlin, *Surviving the Breakup – How Children and Parents Cope With Divorce*, New York, Basic Books, 1980.

## Sur la guérison des deuils de l'enfance

Bradshaw, John, *Retrouver l'enfant en soi*, Montréal, Le Jour, éditeur, 1992.

Capacchione, Lucia, *Recovery of Your Inner Child*, New York, Simon and Schuster, 1991.

Kunsman, Kristin, *The Healing Way: Adult Recovery from Childhood Sexual Abuse*, San Francisco, Harper and Row, 1990.

Middleton-Moz, Jane et Dwinell, Lori, *After the Tears: Reclaiming the Personal Losses of Childhood*, Pompano Beach, Health Communications, 1986.

Miller, Alice, *Banished Knowledge: Facing Childhood Injuries*, New York, Bantam Publishing, 1990.

Stettbacher, J. Konrad, *Making Sense of Suffering*, New York, Penguin Books, 1991.

Woodman, Marion, *Leaving My Father's House*, Boston, Shambhala Publishing, 1992.

## Sur les soins à se prodiguer soi-même en période de deuil

Thomas, Lalitha, *Ten Essential Herbs*, Prescott, Hohm Press, 1992.

Travis, John W., M.D. et Ryan, Regina Sara, *The Wellness Workbook*, Berkeley, Ten Speed Press, 1988.

## Sur l'écriture et les journaux intimes

Capacchione, Lucia, *The Creative Journal: The Art of Finding Yourself*, North Hollywood, Newcastle Publishing Co., Inc., 1989.
— *The Power of Your Other Hand*, North Hollywood, Newcastle Publishing Co., Inc., 1988.
Goldberg, Natalie, *Writing Down the Bones: Freeing The Writer Within*, Boston, Shambhala, 1986.
Rainer, Tristine, *The New Diary*, Los Angeles, J.P. Tarcher, Inc., 1978.

## Sur les rêves

Johnson, Robert A., *Inner Work: Using Dreams and Active Imagination For Personal Growth*, San Francisco, Harper and Row, Publishers, 1986.
Kaplan-Williams, Stephan, *The Jungian-Senoi Dreamwork Manual*, Novato, Journey Press, 1988.

## Sur les rituels

Feinstein, David et May, Peg Elliott, *Rituals for Living and Dying*, San Francisco, HarperSanFrancisco, 1990.

## La musique

La musique du groupe rock Liars, gods, and beggars. Suggestions d'albums: *Just Smoke, Lilith* et *Eccentricities, Idiosyncrasies, and Indiscretions*.
La musique de Gabrielle Roth.
Suggestions d'albums: *Initiation, Rituals* et *Bones*.

# Table des matières

LES ÉDITIONS DE L'HOMME

# Ouvrages parus aux
# Éditions de l'Homme

## Affaires et vie pratique

## Cuisine et nutrition

* Votre régime contre le psoriasis, Harry Clements
* Votre régime pour contrôler le cholestérol, R. Newman Turner
* Les yogourts glacés, Mable et Gar Hoffman

## Plein air, sports, loisirs

* 30 ans de photos de hockey, Denis Brodeur
* L'ABC du bridge, Frank Stewart et Randall Baron
* Almanach chasse et pêche 93, Alain Demers
* Apprenez à patiner, Gaston Marcotte
  L'arc et la chasse, Greg Guardo
* Les armes de chasse, Charles Petit-Martinon
  L'art du pliage du papier, Robert Harbin
  La basse sans professeur, Laurence Canty
  La batterie sans professeur, James Blades et Johnny Dean
  Le bridge, Viviane Beaulieu
  Carte et boussole, Björn Kjellström
  Le chant sans professeur, Graham Hewitt
* Charlevoix, Mia et Klaus
  La clarinette sans professeur, John Robert Brown
  Le clavier électronique sans professeur, Roger Evans
  Le golf après 50 ans, Jacques Barrette et Dr Pierre Lacoste
* Les clés du scrabble, Pierre-André Sigal et Michel Raineri
* Comment vivre dans la nature, Bill Rivière et l'équipe de L. L. Bean
  Le conditionnement physique, Richard Chevalier, Serge Laferrière et Yves Bergeron
* Construire des cabanes d'oiseaux, André Dion
  Corrigez vos défauts au golf, Yves Bergeron
  Culture hydroponique, Richard E. Nicholls
* Le curling, Ed Lukowich
* De la hanche aux doigts de pieds — Guide santé pour l'athlète, M. J. Schneider et M. D. Sussman
  Le dictionnaire des bruits, Jean-Claude Trait et Yvon Dulude
* Les éphémères du pêcheur québécois, Yvon Dulude
* Exceller au baseball, Dick Walker
* Exceller au football, James Allen
* Exceller au softball, Dick Walker
* Exceller au tennis, Charles Bracken
* Exceller en natation, Gene Dabney
  La flûte à bec sans professeur, Alain Bergeron
  La flûte traversière sans professeur, Howard Harrison
  Le golf au féminin, Yves Bergeron et André Maltais
  Le grand livre des sports, Le groupe Diagram
  Les grands du hockey, Denis Brodeur
  Le guide complet du judo, Louis Arpin
  Le guide complet du self-defense, Louis Arpin
* Le guide de la chasse, Jean Pagé
* Le guide de l'alpinisme, Massimo Cappon
* Le guide de la pêche au Québec, Jean Pagé
* Le guide des auberges et relais de campagne du Québec, François Trépanier
* Guide des jeux scouts, Association des Scouts du Canada
  Le guide de survie de l'armée américaine, Collectif
* Guide de survie en forêt canadienne, Jean-Georges Desheneaux
  Guide d'orientation avec carte et boussole, Paul Jacob
  La guitare, Peter Collins
  La guitare électrique sans professeur, Robert Rioux
  La guitare sans professeur, Roger Evans
* Les Îles-de-la-Madeleine, Mia et Klaus
* J'apprends à nager, Régent la Coursière
* Le Jardin botanique, Mia et Klaus
* Je me débrouille à la chasse, Gilles Richard
* Je me débrouille à la pêche, Serge Vincent
* Jeux pour rire et s'amuser en société, Claudette Contant
  Jouons au scrabble, Philippe Guérin
  Le karaté Koshiki, Collectif
  Le karaté Kyokushin, André Gilbert

**Le livre des patiences,** Maria Bezanovska et Paul Kitchevats
* **Manon Rhéaume,** Chantal Gilbert
**Manuel de pilotage,** Transport Canada
**Le manuel du monteur de mouches,** Mike Dawes
**Le marathon pour tous,** Pierre Anctil, Daniel Bégin et Patrick Montuoro
* **Mario Lemieux,** Lawrence Martin
**La médecine sportive,** Dr Gabe Mirkin et Marshall Hoffman
* **La musculation pour tous,** Serge Laferrière
* **La nature en hiver,** Donald W. Stokes
* **Nos oiseaux en péril,** André Dion
* **Les papillons du Québec,** Christian Veilleux et Bernard Prévost
* **Partons en camping!,** Archie Satterfield et Eddie Bauer
* **Les passes au hockey,** Claude Chapleau, Pierre Frigon et Gaston Marcotte
**Le piano jazz sans professeur,** Bob Kail
**Le piano sans professeur,** Roger Evans
**La planche à voile,** Gérald Maillefer
**La plongée sous-marine,** Richard Charron
* **Les Québécois à Lillehammer,** Bernard Brault et Michel Marois
* **Racquetball,** Jean Corbeil
* **Racquetball plus,** Jean Corbeil
* **Rivières et lacs canotables du Québec,** Fédération québécoise du canot-camping
**S'améliorer au tennis,** Richard Chevalier
* **Le saumon,** Jean-Paul Dubé
**Le saxophone sans professeur,** John Robert Brown
* **Le scrabble,** Daniel Gallez
* **Les secrets du baseball,** Jacques Doucet et Claude Raymond
**Les secrets du blackjack,** Yvan Courchesne
**La découverte de l'Amérique,** Timothy Jacobson
**Le solfège sans professeur,** Roger Evans
* **Sylvie Fréchette,** Lilianne Lacroix
**La technique du ski alpin,** Stu Campbell et Max Lundberg
**Techniques du billard,** Robert Pouliot
* **Le tennis,** Denis Roch
* **Le tissage,** Germaine Galerneau et Jeanne Grisé-Allard
**Tous les secrets du golf selon Arnold Palmer,** Arnold Palmer
**La trompette sans professeur,** Digby Fairweather
* **Les vacances en famille: comment s'en sortir vivant,** Erma Bombeck
**Le violon sans professeur,** Max Jaffa
* **Le vitrail,** Claude Bettinger
**Voir plus clair aux échecs,** Henri Tranquille et Louis Morin
**Le volley-ball,** Fédération de volley-ball

## Psychologie, vie affective, vie professionnelle, sexualité

**20 minutes de répit,** Ernest Lawrence Rossi et David Nimmons
* **Adieu Québec,** André Bureau
**À dix kilos du bonheur,** Danielle Bourque
**L'adultère est un péché qu'on pardonne,** Bonnie Eaker Weil et Ruth Winter
* **Aider mon patron à m'aider,** Eugène Houde
**Aimer et se le dire,** Jacques Salomé et Sylvie Galland
**À la découverte de mon corps — Guide pour les adolescentes,** Lynda Madaras
**À la découverte de mon corps — Guide pour les adolescents,** Lynda Madaras
**L'amour comme solution,** Susan Jeffers
* **L'amour, de l'exigence à la préférence,** Lucien Auger
**Les années clés de mon enfant,** Frank et Theresa Caplan
**Apprendre à dire non,** Marcelle Lamarche et Pol Danheux
* **Apprendre à lire et à écrire au primaire,** René Bélanger
**Apprivoiser l'ennemi intérieur,** Dr George R. Bach et Laura Torbet
**L'approche émotivo-rationnelle,** Albert Ellis et Robert A. Harper
**L'art de l'allaitement maternel,** Ligue internationale La Leche
**L'art de parler en public,** Ed Woblmuth
**L'art d'être parents,** Dr Benjamin Spock
**L'autodéveloppement,** Jean Garneau et Michelle Larivey
* **Avoir un enfant après 35 ans,** Isabelle Robert

## Santé, beauté

L'hystérectomie, Suzanne Alix
L'impuissance, Dr Pierre Alarie et Dr Richard Villeneuve
Initiation au shiatsu, Yuki Rioux
* Maigrir: la fin de l'obsession, Susie Orbach
* Le manuel Johnson & Johnson des premiers soins, Dr Stephen Rosenberg
* Les maux de tête chroniques, Antonia Van Der Meer
Maux de tête et migraines, Dr Jacques P. Meloche et J. Dorion
Mince alors… finis les régimes!, Debra Waterhouse
* Mini-massages, Jack Hofer
Perdez du poids… pas le sourire, Dr Senninger
. Perdre son ventre en 30 jours, Nancy Burstein
* Principe de la technique respiratoire, Julie Lefrançois
* Programme XBX de l'aviation royale du Canada, Collectif
Renforcez votre immunité, Bruno Comby
Le rhume des foins, Roger Newman Turner
Ronfleurs, réveillez-vous!, Jocelyne Delage et Jacques Piché
Savoir relaxer — Pour combattre le stress, Dr Edmund Jacobson
* Soignez vos pieds, Dr Glenn Copeland et Stan Solomon
Le supermassage minute, Gordon Inkeles
Vivre avec l'alcool, Louise Nadeau

le jour,
éditeur

# Ouvrages parus au Jour

## Affaires, loisirs, vie pratique

* L'affrontement, Henri Lamoureux
* Les bains flottants, Michael Hutchison
* Le cœur de la baleine bleue, Jacques Poulin
* Conte pour buveurs attardés, Michel Tremblay
* La France à la québécoise, André Bergeron et Émile Roberge
* Le guide du répondeur bien branché, Robert Blondin et Lucie Dumoulin
* J'avais oublié que l'amour fût si beau, Évette Doré-Joyal
* Jean-Paul ou les hasards de la vie, Marcel Bellier
* Oslovik fait la bombe, Oslovik
* Questions réponses sur vos droits et recours, François Huot

## Ésotérisme, santé, spiritualité

L'astrologie pratique, Wofgang Reinicke
Couper du bois, porter de l'eau — Comment donner une dimension spirituelle à la vie de tous
les jours, Collectif
De l'autre côté du miroir, Johanne Hamel
Les enfants asthmatiques, Dr Guy Falardeau
Le grand livre de la cartomancie, Gerhard von Lentner
Grand livre des horoscopes chinois, Theodora Lau
Jeûner pour sa santé, Nicole Boudreau
* Pour en finir avec l'hystérectomie, Dr Vicki Hufnagel et Susan K. Golant
Pouvoir analyser ses rêves, Robert Bosnak
Le pouvoir de l'auto-hypnose, Stanley Fisher
Questions réponses sur la maladie d'Alzheimer, Dr Denis Gauvreau et Dr Marie Gendron
Questions réponses sur la ménopause, Ruth S. Jacobowitz
Renaître, Billy Graham
Sagesse amérindienne, Dhyani Ywahoo

## Essais et documents

* **1759 La bataille du Canada,** Laurier L. LaPierre
* **L'accord,** Georges Mathews
* **L'administration et le développement coopératif,** Marcel Laflamme et André Roy
* **Les années Trudeau — La recherche d'une société juste,** T. S. Axworthy et P. E. Trudeau
* **Le Dragon d'eau,** R. F. Holland
* **Elle sera poète, elle aussi!** Liliane Blanc
* **Femmes et politique,** Yolande Cohen, Andrée Yanacopoulo et Nicole Brossard
* **Les femmes sont-elles allées trop loin?,** Francine Burnonville
* **Le français, langue du Québec,** Camille Laurin
* **Hans Selye ou la cathédrale du stress,** Andrée Yanacopoulo
* **Hiérarchie ethnique dans la grande entreprise,** Jean-Marie Rainville
* **L'histoire des femmes au Québec,** Le collectif Clio
* **Jacques Cartier - L'odyssée intime,** Georges Cartier
  **Mémoires politiques,** Pierre Elliott Trudeau
  **Les mythes à travers les âges,** Joseph Campbell

## Psychologie, vie affective, vie professionnelle, sexualité

**L'accompagnement au soir de la vie,** Andrée Gauvin et Roger Régnier
**Adieu,** Dr Howard M. Halpern
**Adieu la rancune,** James L. Creighton
**L'agressivité créatrice,** Dr George R. Bach et Dr Herb Goldberg
**Aimer, c'est choisir d'être heureux,** Barry Neil Kaufman
**Aimer son prochain comme soi-même,** Joseph Murphy
**L'amour lucide,** Gay Hendricks et Kathlyn Hendricks
**L'amour obession,** Dr Susan Foward
**Apprendre à vivre et à aimer,** Léo Buscaglia
**Arrête! tu m'exaspères — Protéger son territoire,** Dr George Bach et Ronald Deutsch
**L'art d'engager la conversation et de se faire des amis,** Don Gabor
**L'art de vivre heureux,** Josef Kirschner
**Augmentez la puissance de votre cerveau,** A. Winter et R. Winter
**L'autosabotage,** Michel Kuc
**La beauté de Psyché,** James Hillman
**Bien vivre ensemble,** Dr William Nagler et Anne Androff
**Le bonheur, c'est un choix,** Barry Neil Kaufman
**Le burnout,** Collectif
**Célibataire et heureux!,** Vera Peiffer
**Ces hommes qui ne communiquent pas,** Steven Naifeh et Gregory White Smith
**C'est pas la faute des mère!,** Paula J. Caplan
**Ces vérités vont changer votre vie,** Joseph Murphy
**Comment acquérir assurance et audace,** Jean Brun
* **Comment aimer vivre seul,** Lynn Shanan
**Comment apprendre l'autodiscipline aux enfants,** Thomas Gordon
**Comment décrocher,** Barbara Mackoff
**Comment faire l'amour à la même personne pour le reste de votre vie,** Dagmar O'Connor
**Comment faire l'amour à une femme,** Michael Morgenstern
**Comment faire l'amour à un homme,** Alexandra Penney
**Comment faire l'amour ensemble,** Alexandra Penney
**Comment peut-on pardonner?,** Robin Casarjian
**Communication efficace,** Linda Adams
**Le courage de créer,** Rollo May
**Créez votre vie,** Jean-François Decker
**Le défi de l'amour,** John Bradshaw
**Dire oui à l'amour,** Léo Buscaglia
**Dominez les émotions qui vous détruisent,** Dr Robert Langs
**Dominez vos peurs,** Vera Peiffer
**La dynamique mentale,** Christian H. Godefroy
**Éloïse, poste restante,** Loïse Lavallée
**Les enfants dictateurs,** Fred G. Gosman
**Les enfants hyperactifs et lunatiques,** Dr Guy Falardeau
**L'éveil de votre puissance intérieure,** Anthony Robins
* **Exit final — Pour une mort dans la dignité,** Derek Humphry
**Faites la paix avec votre belle-famille,** P. Bilofsky et F. Sacharow

---

* Pour l'Amérique du Nord seulement.

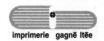

imprimerie   gagné ltée

IMPRIMÉ AÚ CANADA